森と生きる。

小池伸介 著
澤井俊彦 写真

ツキノワグマのすべて

Asian black bears, living with the forest.

文一総合出版

大型のタマであっても、山を背景にすると
小さな存在にしか見えない（澤井俊彦）

昔から、人々はツキノワグマに畏敬の念を抱いてきた。しかし、最近は悪いニュースばかりが目立ち、世間のツキノワグマに対する印象が悪くなっているように感じる。

一方、この動物を直接、野山で見たことがある人は極めて少ないだろう。多くのツキノワグマは人間とは関係なく、森の中でひっそりと暮らしている。皆さんが思い描くツキノワグマの姿と、本当のツキノワグマの姿との溝を埋めるべく、本書では深い森に生きるツキノワグマの姿に、できる限り迫った。

私は、小さく、極めて人口密度が高い島々に、この漆黒姿の大きな獣が悠久の時を経て暮らし続けているということを誇らしく思うし、これからも日本の森に存在し続けて欲しいと強く願っている。

小池伸介

ツキノワグマの暮らす森 6

春、雪解け間もない山の斜面は、
クマが最も好む餌場となる（澤井俊彦）

ツキノワグマ

澤井俊彦・写真と文 (p.6-27)

6

の暮らす森

ブナの根まわりにできた穴。
その中からゆっくりと成獣
が姿を現す

日没間際、豪雪におおわれ
た谷を歩く親子3頭

夏になると高山帯のあちこ
ちに雪渓（雪田）ができる。
その残雪上で戯れる親子

子グマたちにとって2度目
となる緑の季節がやって来
た。母グマと別れる時期も
近い

沢の源流部。親子は急傾斜
の岩に張りついたコケ類を
食べていた

夏の午後、筋骨隆々とした
大型の個体が沢沿いに姿を
見せる

日本のツキノワグマが出産
する子どもの数は2頭ない
し1頭。三つ子の確率はご
くわずかしかない

子グマの中には水に対して
恐怖心を抱く個体も見られ
る。それでも独り立ちのこ
ろには泳ぎが得意となって
いる

4～10月にかけての気温が
高い日、体を冷却するため
水に浸かることがある

夏場のクマはエサを探し求
めて標高の高い山にも登る。
ハイマツやナナカマドの茂
る稜線付近にて

標高2,700メートル。夏場
の高山帯に登って来た若い
個体と遭遇

高山植物やハイマツの実といった食べ物は、森林限界を超えた場所での貴重な食糧源となる

梅雨明けからハイマツの実
などを求めて高山帯に来て
いた個体。気温が下がる9
月中旬には森林帯へと戻っ
ていく

ドングリ類の実りが少ない秋。
養殖マスを狙って明るい時
間帯から釣り堀に現れる

冬眠が迫る時期には、魚類
や昆虫といった動物性の食
べ物に強い関心を見せるこ
とが多くなる

威嚇する個体。ドングリ類
が不作の年でありながら、
やせ細った様子はない

豊かに実ったブナの森にも、
もうすぐ根雪がやってくる

part.1

ツキノワグマ

春の夕刻。暗くなりはじめた谷間の斜面に大型のオスがゆっくりと全身を現す（澤井俊彦）

骨格から五感まで、ツキノワグマの身体能力を紹介する。実物大ページでは、自分の手と大きさを比べてみよう！

の身体

ツキノワグマの形態

大きさ

成獣の頭胴長（鼻の先から尾の付け根までの体に沿わせた長さ）は110〜140センチ、尾の長さは約8センチ。体重は40〜120キログラムですが、季節により大きく変化します。オスのほうがメスよりも大きく、性的二形を示します。写真のように生まれた直後の冬眠を終えた子ども（左）は、体重3〜5キログラムです。

山の斜面を登る親子（横田博）

尾

体の大きさに比べて短いです。大きな足裏と短い足で、安定してバランスをとることができるので、尾が不要になり、短くなった可能性があります。

耳

耳の長さは10〜15センチ。
頭の上に突き出た丸い形で、
黒い毛でおおわれます。ほか
の種のクマに比べて長く目立
つことから「ミッキーマウス
のような耳」とも呼ばれます。

毛

毛色の変異は少なく、単調な黒色です。
なお、胸と顎に白い毛が出現します。ま
た、まれにアルビノ個体が見られること
もあります。毛の長さは部位によって異
なり、頭から背中にかけての毛が最も長
いです。毛は5月中旬ごろから10月末ご
ろまで比較的一定の速さで成長し、翌年
の7月ごろまでに換毛（かんもう）します。

顔

ヒグマに比べると、目より先の部
分の長さの割合が小さいため、ク
マの中でも丸顔の印象が強いです。
さらに、鼻先まで黒い毛でおおわ
れるため、真っ黒な顔の中のつぶ
らな丸い目が目立ちます。オスの
場合、年を重ねると頭の幅が広く
なる傾向があります。

足

人間と同じように、かかとを含む足の裏全
体を地面につけて歩きます。そのため、後
ろ足で立っての2足歩行も可能です。また、
前足は後ろ足よりも長く内またなので、前
足で朽ち木を壊したり、石を持ち上げたり
することができます。さらに、ツキノワグ
マは前足がよく発達し、肩からひじが長い
特徴がありますが、これは木登りに適応し
た結果だと考えられています。

実物大

※体重46キログラムのオスの場合
（小坂井千夏）

前足

前足の裏は後部の盛り上がった肉球と前部の肉球がつながり、足裏すべてが肉球でおおわれるのが特徴です。ほかのクマでは2つの肉球の間は毛でおおわれます。前足の肉球の表面が広いことで、木に登るときに足の裏がしっかりと木に引っかかり、木登りに適応していると考えられます。

爪

爪はほかのクマよりも短く（3〜
5センチ）、わん曲（爪の曲がり
具合）がきつい特徴があります。
丈夫で鋭い爪をもつことで、木に
登るときにしっかりと幹につかま
ることができます。

後ろ足

後ろ足の裏も大きな肉球で
おおわれ、毛はまったく生
えていません。かかとのほ
うが細くなっていますが、
これは前足の地面につく部
分が発達しているために、
後ろ足の肉球が発達しなか
ったためと考えられます。

33

ツキノワグマの五感

ツキノワグマの表情（澤井俊彦）

視覚

　ほかの感覚器に比べると、よくはないとされます。色を識別することは難しいとされていますが、形を識別する能力や、動体視力は人間と同じか、それ以上の可能性があります。

触覚

　クマの体の中でも、鼻鏡（鼻の先の黒い部分）は最も敏感な部位です。鼻鏡に

は細かい溝がたくさんあり、においや温度を探知していると考えられます。多くの神経が存在するため、体の中でも特に敏感な部位と考えられます。

聴覚

　犬と同じように、人間には高すぎて聞き取れないような超高波も聞くことができる可能性もあり、人間よりはるかに聴覚はよいと考えられます。また、休んでいるときなども、常に耳介（動物の耳の

うち、外に張り出している部分のこと）を動かして、周囲の情報を得ようとしている様子も見られます。

嗅覚（きゅうかく）

クマにとっていちばん重要な知覚判断は嗅覚です。クマの鼻腔（びくう）には複雑な骨のひだが存在し、表面をおおう粘膜に存在する嗅覚受容神経の分布面積を広くしています。このような構造からも、鋭敏な嗅覚を持つことがわかります。クマの嗅覚は犬よりも、また人間よりもはるかによく、数キロ先のにおいもかぎつけるこ

とができるといわれています。クマは、警戒するときや辺りの様子を探索するときには2本足で立ち、顔を上げ、少しでも高いところのにおいを、鼻を動かしながら空気を吸って確かめます。

味覚（みかく）

クマは幅広い食性を持っているものの、よりカロリーが高い食物を好み、果実を食べるときにはより甘い果実を、草本などを食べるときはよりタンパク質が高い時期に食べることから、人間と似たような味覚を持っていると考えられます。

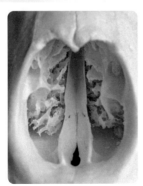

ツキノワグマの頭蓋骨（上）と鼻骨（右）。ミュージアムパーク茨城県自然博物館所蔵（中村利和）

記憶力

クマは、一度学習したことを記憶する能力が、とてもすぐれていることが知られています。視覚による形の記憶、嗅覚によるにおいの記憶、味覚による味の記憶など、さまざまな感覚によって得た情報を覚えていることが、クマがある食物源を長期にわたって利用していることの理由と考えられています。

ツキノワグマの骨格

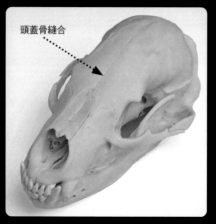

頭蓋骨縫合

若い個体の頭蓋骨は成獣と異なり、
何枚かの骨に分かれ、骨と骨との
つなぎ目を頭蓋骨縫合と呼ぶ

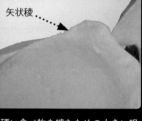

矢状稜

硬い食べ物を噛むための大きい咀
嚼筋をつなぎとめるのに、大きな
矢状稜が存在し、成長とともに発
達する

肩甲骨

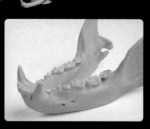

クマ類の臼歯はほかの食肉目に比べ
て臼歯上部（咬合面）の表面積が広く、
物をすりつぶすのに適している

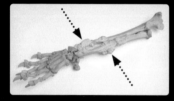

この個体は前肢の骨に、過去の骨折が
自然治癒した痕が見られる

ツキノワグマの頭蓋骨は縦に早く、横にゆっくりと成長し、メスでは２～３歳、オスでは４～５歳まで成長します。ツキノワグマの側頭稜・矢状稜・頬骨突起・頬骨弓の発達は、クマ類の中では劣ります。これらは咀嚼に関係する筋肉を支える部分で、ツキノワグマはクマの中では、噛む力はそれほど強くはないと考えられますが、人間よりははるかに強いです。

四肢骨は全体的に太く短く、特に前肢の骨はしっかりしています。特徴的なのは前肢を胴体につなぎとめる肩甲骨で、大きな正方形に近い形です。クマ類の肩甲骨はほかの食肉類と異なり、大きくツバ状の張り出し部があり、ここで筋肉（小肩甲下筋）を支えます。この筋肉が発達しているおかげで、クマ類は木登りする際、前肢で重い体を引き上げるときにも、肩関節の脱臼が起こらないようになっています。

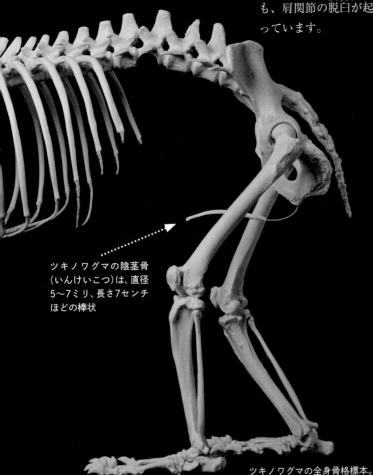

ツキノワグマの陰茎骨（いんけいこつ）は、直径５～７ミリ、長さ７センチほどの棒状

ツキノワグマの全身骨格標本。
ミュージアムパーク茨城県自然博物館所蔵（中村利和）

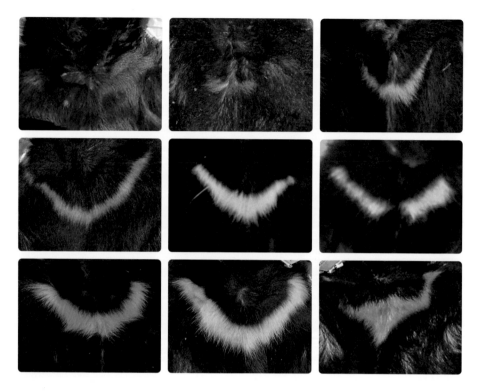

ずらり！ 月ノ輪 比べ

　ツキノワグマの名前の由来は、胸にある白い模様が「三日月」に見えるからです。そのため、ムーン・ベアという別名もあります。また、以前は「月のクマ」を意味する学名がつけられていました。このような胸の白い模様はほかのクマでも見られ、東南アジアに生息するマレーグマにも胸に白い模様があります。こちらは白い模様が「日の沈む様子」を連想させるため、英語では「Sun bear：太陽のクマ」と呼ばれています。

　ツキノワグマの胸の白い模様は、個体によって異なります。いわゆる、三日月模様の個体もいれば、まったく白い模様がない個体、エプロンみたいに幅の広い白い模様がある個体、左右非対称の白い模様がある個体などさまざまです。基本的には、成長によって模様は変わらないので、この模様の違いを使って、野生のツキノワグマの個体識別を行うことで、生息数を算出しようとする試みも行われています。

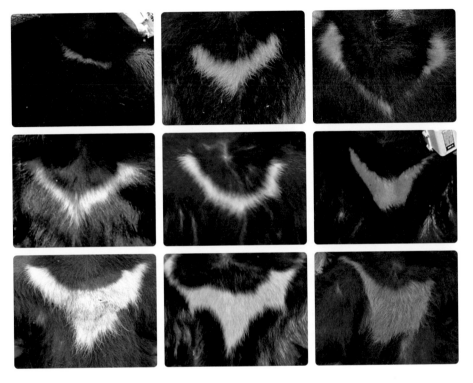

（小坂井千夏）

顎の下の毛

顎の下にも白い毛がある個体がい
ます。顎の場合も、個体によって
毛の生え方が異なります。

（竹腰直紀）

個体識別

この写真のように、野外で立た
せて胸の模様を確認することで、
個体識別をすることもあります。

part.2

ツキノワグ

ツキノワグマは、何を食べているの
か？　どこで寝ているのか？　1年
の生活や1日のタイムスケジュール
など、最新の研究によって明らかに
なった、知られざる生態を紹介！

マの生活

夏の終わりに水辺を歩く親子。ドングリが実
るまで、森の中にまとまった食べ物は少ない
（澤井俊彦）

ツキノワグマの一生

オスは熾烈な
メスを巡る争い

3〜4歳で
繁殖開始

メスは数年おきに
繁殖

メスは15歳くらいまで
繁殖できる

夏の前に
母グマと
別れる

野生だと
20年以上
生きることは稀

　ツキノワグマの子どもは、1月下旬から2月上旬の冬眠中に体重300グラムと、母親の約200分の1という大きさで生まれます。その後、冬眠穴の中で母親から高脂肪・高タンパク質で、家畜や人間に比べるととても高栄養な母乳をたっぷりともらい、冬眠を終える4〜5月には、体重は2〜3キロの大きさに成長します。

　その後は母親と一緒に行動し、母親から生きていくために必要なさまざまなことを学びます。

　ちなみに、クマの子育てはすべて母親が担います。オスは交尾までが繁殖活動で、その後の子育てにはまったくかかわりません。母親と子どもは、再び一緒に冬眠を行い、子どもが1歳半の初夏には

2年目の親子

穴の中で生まれて

1年間を母グマと
一緒に過ごす

もう1回、母グマと冬眠

親元を離れます（子別れ）。

　母親から離れた子どもは、しばらくは
それまで生活していた場所の近くで暮ら
し、徐々に新たな生活の場所を見つけて
いきます（幼期分散）。そして、雌雄とも
に4歳くらいまでには性的に成熟し、子
育てを開始します。

　メスは数年おきに1～2頭の子どもを
出産すると考えられます。一方、オスは
繁殖相手であるメスをめぐる熾烈な競争
があるため、実際に父親になることがで
きるのは、限られたオスだけのようです。

　クマの寿命は、動物園などでは30年を
超えることもありますが、野生の多くの
個体は20年代半ばまで生きることはあま
り多くはないようです。

43

ツキノワグマの一年

①冬眠を終えたクマ

②オスがメスを追いかける（5〜7月）

⑧授乳する親グマ

⑦当歳のクマ

⑥出産（1〜2月）

　クマの一年について冬眠を終える春から見てみましょう。3〜5月にかけて冬眠を終えたクマは、寝たり起きたりをくり返しながら、冬眠中に低下した体力を徐々に回復させます。そして、6〜7月にかけて繁殖期（交尾期）をむかえます。この期間中にメスが発情するのは数日から10日ほどです。そのため、繁殖期のオスは発情したメスを探す毎日を送ります。そして、ふだんは単独で生活しているクマですが、相性の合うオスとメスが出会うと一緒にいる時間が増え、交尾に至ります。

　9月あたりからは、食べることに専念した飽食期をむかえます。その理由は、この後にひかえる冬眠にあります。

③交尾(5〜7月)

⑤木の洞や岩穴などで
冬眠を始める(11〜12月)

④冬眠に向けて
ドングリを食べる(9〜11月)

　冬眠中のクマは飲まず食わずの状態で過ごします。もちろん、排せつや排尿もしません。さらに、クマは体温を5℃以下まで下げて冬眠するシマリスやヤマネとは異なり、せいぜい30℃台前半くらいにまでしか下げずに冬眠を行います。その代わり、心拍数や呼吸数を少なくして、代謝（エネルギーの消費）を抑えます。し

かし、冬眠中も徐々にエネルギーを消費することから、秋の間に冬眠中に消費するエネルギーを貯めておく必要があります。そのため、春から夏に比べて体重を脂肪という形で30％近くも増やし、冬眠の準備が整ったら、11〜12月にかけて木の洞や岩穴などで冬眠を始めます。

森の中を歩く親子（佐藤嘉宏）

ツキノワグマの一日

　ツキノワグマの1日は、夜明けととも
に始まり、日暮れとともに終わります。
ただし、季節によってその傾向は少し異
なります。

　冬眠から覚めた直後の春は、1日の活
動時間も少なく、"walking hibernation"
（歩きながら冬眠をしている）と言われるよ
うに、寝たり起きたりをくり返しながら、

冬眠中に低下した体力を徐々に回復させ
ます。

　繁殖期の6〜7月にかけては、オスは
ひたすら発情したメスを探し、メスは育
児を行うため、1日の活動時間も増加し
ます。その後、暑い夏をむかえると、暑
さを避けるためか昼間は木の上などで寝
て過ごし、活動するのは朝方や夕方など

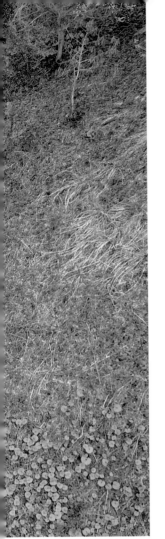

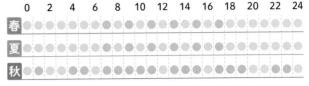

季節ごとの1日の活動時間

	0	2	4	6	8	10	12	14	16	18	20	22	24
春													
夏													
秋													

● 睡眠・休眠　　● 活動

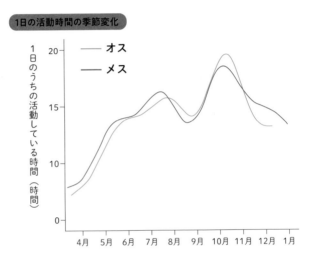

1日の活動時間の季節変化

1日のうちの活動している時間（時間）

オス
メス

の薄明薄暮が中心になり、1日の活動時間も減少します。

　9月ごろから11月にかけては飽食期とよばれ、ツキノワグマは昼間を中心に活動する生活リズムを、夜も活動するように変えてまでも、食べることに専念します。その後、晩秋には徐々に1日の活動時間を減らし、冬眠を開始します。

　このように、自然の中のツキノワグマは人間と同じような昼行性の生活をおくっています。しかし、果樹園や人里など人間が活動している場所に近づく場合には、人と出会うことを避けるために、夜に行動する夜行性に変化することもあります。

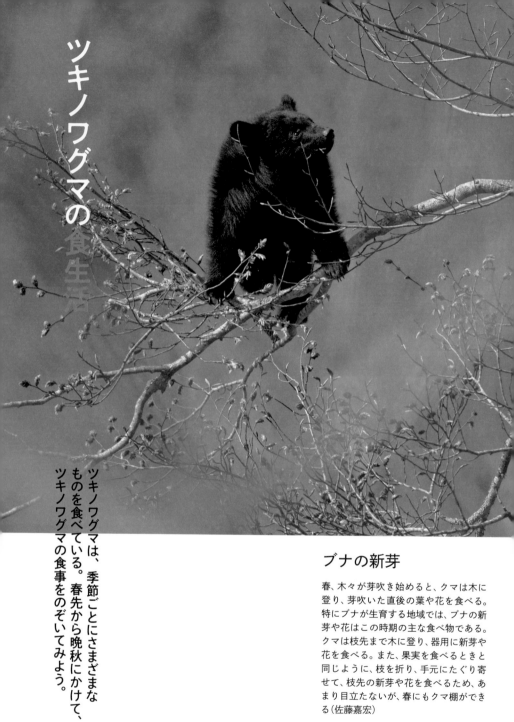

ツキノワグマの食生活

ツキノワグマは、季節ごとにさまざまなものを食べている。春先から晩秋にかけて、ツキノワグマの食事をのぞいてみよう。

ブナの新芽

春、木々が芽吹き始めると、クマは木に登り、芽吹いた直後の葉や花を食べる。特にブナが生育する地域では、ブナの新芽や花はこの時期の主な食べ物である。クマは枝先まで木に登り、器用に新芽や花を食べる。また、果実を食べるときと同じように、枝を折り、手元にたぐり寄せて、枝先の新芽や花を食べるため、あまり目立たないが、春にもクマ棚ができる（佐藤嘉宏）

※p.48-61の解説はすべて小池伸介

前年秋に落ちた
ミズナラの実

まだ、木々が芽吹く前の時期は、最も食べ物が乏しい季節。この時期の主な食べ物の1つに、前年の秋に結実した後に地面に落下し、落ち葉の下に埋もれたブナ科の果実がある。特に、豊作年の翌春には、クマは多くのこれらの果実を食べることができる（佐藤嘉宏）

木の芽

春のクマは、ブナだけでなく、さまざまな種類の広葉樹の新芽を食べる。ただし、クマはどの樹種の新芽でも食べるわけではない。クマは、新芽にタンパク質を多く含むとともに、繊維質の少ない樹種を選ぶ傾向がある。また、多くの樹種で、葉の展開とともに、徐々に葉に含まれるタンパク質は減少して繊維質が増加するため、食肉目であるツキノワグマが植物の葉を消化しやすいのは、芽吹き直後の非常に限られた期間だけである。大きな体のクマにとって、小さな葉を1枚ずつ食べるのは効率が悪いが、この時期の葉は栄養価が高く、消化しやすい状態であるため、クマはわざわざ木に登って、葉を1枚1枚食べていると考えられる（佐藤嘉宏）

シカ

冬から春にかけて雪崩や飢餓などで自然
死亡したニホンジカやニホンカモシカの
死体も、春のクマにとっては大切な食べ
物である。写真のように干物のような状
態であっても、クマは骨のまわりにわず
かに残った肉や、骨そのものを食べる(横
田博)

ヤマグワの実

初夏の日本の森には、果実を結実させる樹木は多くない。そのため、この時期に果実を実らせる、クワ類やコウゾ類、サクラ類はクマの大切な食べ物となる。短い実りの期間に、クマは木に登り次々と果実を食べる（佐藤嘉宏）

アリ

初夏のクマにとって、アリは重要な食べ物。アリは社会性昆虫であるため、1つの巣に数多く生活している。そのため、1つのアリの巣を見つけると、一度に多くを食べることができる、効率のよい食べ物である。クマは自分の体の半分ほどもあるような石を1つ1つひたすらひっくり返し、石の下に作られた巣の中のアリを舐めとって食べる。特に、巣の中に自らは動くことができない蛹（さなぎ）が増えてくる季節になると、クマは1つ1つのアリの巣での食事にはあまり時間をかけずに、蛹をさっさと食べつくすと、すぐに次のアリの巣の探索に移る（佐藤嘉宏）

草

春から初夏にかけては、さまざまな草本
も主な食べ物となる。樹木の新芽と同じ
く、開葉直後の草本を好むが、樹木の葉
に比べるとやわらかいため、食べ物とし
て利用する期間は長い。特に、多肉質の
高茎草本（シシウドやフキなど）やテンナ
ンショウ、ササ類の新芽（ササノコ）など
を好んで食べる（佐藤嘉宏）

高山植物

標高が高くなるにともない、植物の開葉は遅くなる。そのため、クマは季節が進むなかで、開葉直後の葉を求め、開葉を追いかけるように標高を上げていく。そして、7月に高山に達した後は、ところどころに存在する雪渓や雪田周辺の芽吹いた直後の草本を食べる。一方、夏の終わりには、ブナやミズナラが生育する標高の低い場所に移動する（澤井俊彦）

ミズナラの実

ミズナラの果実は、東日本の多くの地域のクマの秋の主な食べ物である。ブナの果実に比べて、脂肪が少なく栄養価は低いものの、デンプンを多く含み、果実1つ1つがブナの果実よりも大きい。さらに、ブナに比べると、豊作年に巡り合う間隔が短く、数年に1回は豊作の年をむかえるため、秋のたまにのごちそうであるブナの果実に比べると、ミズナラの果実は秋の主食ともいえる（佐藤嘉宏）

ブナの実

クマがすむ森も、秋は実りの季節をむかえ、さまざまな樹木の果実を目にすることができる。それらの中でも、ブナをはじめとするブナ科の樹種は、多くの地域で森林の優占種であるため現存量も多く、果実も大きく、栄養的にもすぐれている。そのため、冬眠のために脂肪を蓄積しなくてはならない秋のクマにとって、主要な食べ物となる。中でも、ブナの果実は脂肪を多く含み、苦みなどもなく、クマにとっては魅力的な食べ物。しかし、その豊作は5〜8年に1度しかめぐり合わないため、クマにとってはめったに食べることができない、秋のごちそうといえる
（佐藤嘉宏）

イナゴ

夏から秋にかけて、クマはイナゴやカマドウマをはじめとするバッタの仲間をよく食べる。これらの昆虫は、1匹の大きさは小さいものの、特定の環境（草原や朽ち木の中など）に生活しているため、ほかの動物質の食べ物に比べて、効率よく捕ることができる（佐藤嘉宏）

ミズキの実

ミズキの果実は、晩夏から秋にかけての食べ物である。ミズキの果実は、液果（えきか：種子のまわりに液質の果肉がある果実）の中でも脂肪が多く、高栄養である。また、木に実っている期間も長いため、クマは好んで食べる。特にブナやミズナラが少ない地域では、ブナ科の果実と並び、秋の主な食べ物となる（佐藤嘉宏）

ヤマブドウ

ヤマブドウをはじめ、アケビやサルナシといったツル植物の果実も秋の主な食べ物である。これらのツル植物の果実は木に実っている期間が長いため、ブナ科の果実の実る時期の前後（初秋や晩秋）には、クマはよく食べる。また、ブナ科の果実類が不作の年には、クマにとっては大事な秋の食べ物となる（澤井俊彦）

稲

収穫前の稲穂がたれる時期になると、クマは稲穂を口でしごきながら器用に1粒1粒食べる。写真のように、収穫後に残された稲穂もクマにとっては魅力的な食べ物である（澤井俊彦）

クリの実

野生のクリも、秋のクマにとっては大切な食べ物である。しかし、ブナやミズナラなど、ほかのブナ科の果実に比べると、クリの果実を1つ食べるには多くの時間を要するため、効率は悪い。ただし、写真のようなクリ園は別である。野生のクリに比べて果実1つの大きさが大きく、一度に大量に存在するため、クマにとっては魅力的な食べ物で、人里への誘引のきっかけとなる(澤井俊彦)

ツキノワグマの移動能力

夕暮れ近い山道。成獣が精悍な
姿を見せた（澤井俊彦）

　ツキノワグマは、ほかの大型の陸生哺乳類に比べても広い行動範囲を持っています。性や齢級によって広さは異なりますが、日本のツキノワグマの成獣オスでは、最大で100～200平方キロ以上に達します。普通、成獣メスはオスの1／2から1／4の広さですが、時として100平方キロを超えることもあります。ロシア沿海州など大陸産のツキノワグマの場合は、さらに広大です。

　このような移動を行う理由の1つに、食物（主に秋の堅果(けんか)）が不足した年に、いつも生活する場所から遠く離れてエサを探すことがあります。こうした年には、オスもメスも長距離移動を行います。興味深いのは、だらだらと移動するのではなく、目的地に向かってほぼ直線に、ほとんど休まずに数十キロも移動することです。あたかも、目的地を知っているようです。

　このような移動は、母親からの学習が関係していそうです。また、若い未成熟のオスも、母親と別れた後に長距離移動の旅に出ます（p.64の分散も参照）。いずれの長距離移動の場合でも、現在の世界中のツキノワグマの生息地は数十万年前と異なり、人間の生活空間が隣接しているため、移動の際に人と遭遇して軋轢(あつれき)を起こして駆除される原因となります。

　ツキノワグマは、単に陸上を移動するだけではなく、大きな川、湖、そして海をも泳ぐすぐれた能力を持ちます。岩手県山田町の船越大島(ふなこしおおしま)は、オオミズナギドリが高密度で集団営巣をする場所として

有名で、東京大学大気海洋研究所の佐藤克文先生らが長期的な生態研究を進めています。最近になって、この島にツキノワグマが泳ぎ渡るようになり、オオミズナギドリの親鳥を捕食している事実が明らかになりました。何頭のクマが、どのような頻度(ひんど)で泳ぎ渡っているかはわかっていませんが、そのクマにとって島は、簡単に捕らえることのできる食物にあふれた、まさに宝島だったに違いありません。島と本土の最も幅の狭い地点は350メートルほどです。しかし、浜に付いた足跡を見る限り、常に最短部を泳いでいるわけではなさそうです。外洋に面して波が高く、漁船でさえしばしば渡航をあきらめるような島に泳ぎ渡るクマのパイオニア精神には脱帽する限りです。学術捕獲してGPS首輪や小型カムを取り付けようと画策していますが、まだ成功していません。（山﨑晃司）

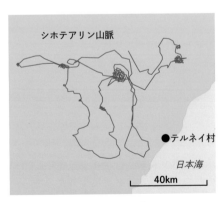

ロシア沿海州で衛星追跡された若いオスのツキノワグマ（体重99キロ）の春から秋の約5か月間の移動軌跡。森林帯から海岸部までの非常に広い範囲を移動している。東西の移動距離は直線で80キロ以上。

ツキノワグマの

授乳中のツキノワグマ。子どもの口のまわりが白くなっているのがわかる（円内）（佐藤嘉宏）

ツキノワグマの子どもは、冬眠中に生まれた後は母親と生活します。そして、再び母親と一緒に冬眠を行った後の1.5歳の夏に、母親と子どもは別れて生活するようになります。まれにもう１年間、母子で一緒に過ごすこともあります。

子別れ後の子どもの行動は、オスとメスとで大きく異なります。一般に、多くの動物は成長に伴って出生地から離れ、新たな場所で生活を始めます。この移動のことを分散行動（幼期分散）といい、哺乳類の多くは、オスの子どもは生まれ育った場所から遠く離れ、新たな場所で

生活を始めます。一方、メスの子どもは、生まれ育った場所から大きくは移動せず、慣れ親しんだ母親の生活場所や、その周辺にとどまることが多いです。

ツキノワグマも分散を行うことが知られています。これまでの報告では、オスの分散距離は約10キロで、最長30キロも分散する個体も知られます。また、分散を開始する年齢は、オスは２歳ごろから分散を始める個体が現れ始め、４歳までには生まれ育った場所を離れるようです。つまり、オスのツキノワグマは母親と離れた後も生まれ育った場所にとどまり、

その後、新たな生活の場所に移動するようです。

　一方、メスの分散距離は約４キロと、生まれ育った場所から大きく移動することは少なく、母親が生活する場所の周辺に、新たな自分の生活場所を持つことが多いようです。なぜ、生まれ育った場所から大きく移動しないのかはよくわかりません。ただ、クマのメスは３歳ごろには繁殖が可能になりますが、どこに食べ物があるか、どこによい冬眠場所があるかなど、生きていくうえで大切な知識を最初から備えることで、大変な子育てを

少しでも有利に進めようとしているのかもしれません。さらに、非常に狭い範囲に、祖母、母、娘、叔母、従姉妹といった同じ女系家系のクマが生活していることがあります。クマの場合、母親以外の個体が母親と一緒に共同で子育てを行うことはありませんが、メスが血縁関係のあるメスを認識し、寛容な姿勢を示すためと考えられています。つまり、限られた食べ物などの資源に対し、自分と近縁な個体に対してはお互いに融通することで、自分と同じ血縁を少しでも残そうとしているのかもしれません。

ツキノワグマの親子（佐藤嘉宏）

＼ 食事シーン ／

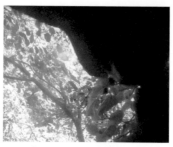

ヤマグワの木の上。口を器用に使って成熟した黒紫色の果実だけを選んで食べている。

カスミザクラの木。背景から、木の高いところまで登り、果実を食べていることがわかる。

大きく口をあけ、テンナンショウ属の茎をくわえて地面から引き抜き、葉や茎を食べる。

手でキク科のヒヨドリバナの仲間を押さえながら、葉や茎のやわらかい部分を食べている。

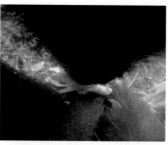

ササ類の新芽（ササノコ）を口で地面から引き抜き、一度自分の手の上にのせて、少しずつ中のやわらかい部分を食べる。

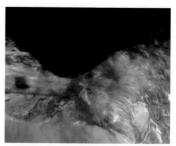

自然死したと考えられるニホンカモシカの死体を食べている。まだ、新鮮な死体とみられ、内臓から食べている。

66

＼ オスとメス・ケンカ・交尾 ／

繁殖期のオスは相手のメスを探す日々を送り、メスを見つけると、メスが受け入れてくれるまで、後を追いかけるが、逃げられることも多い。

木の上で休むメスから見た、木の下でメスを待ち続けるオス。繁殖期のオスは、メスが逃げないようにメスが休んでいるときも、周囲で待つ。

オスが追いかけていたメスがようやく止まってくれたものの、まだ2頭の間には距離がある。

繁殖期のオスから見たメス。写真のメスは怒っているわけではなく、オスと何らかのコミュニケーションをとっていると考えられる。

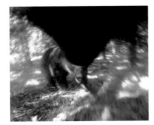

繁殖期のオスは、メスをめぐって争うこともある。写真は、メスを追いかけている途中に、ほかのオスと出会った場面。

ほかのオスと出会い、ケンカに発展した場面。両者とも2本足で立ち、口を大きくあけて威嚇し、時には犬歯を使って争う。

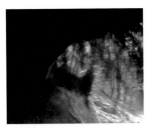

オスから見た交尾の様子。メスの探索や追跡を終え、ほかのオスとの争いを勝ち抜いたオスは、メスとの交尾に至る。オスの目の前にメスの耳が見える。

※バイオロギング：野生動物に、小型の記録計（データロガー）を取り付け、自然環境の中で動物がどのような行動を取っているのかを調査する研究分野のこと。

※p.66-69に掲載した写真は、ツキノワグマの首に取り付けたビデオで撮影された映像から静止画を切り出したもので、すべて東京農工大学森林生物保全学研究室・東京農業大学森林生態学研究室による。

※以下のサイトで動画をご覧いただくことができます。
https://t.ly/AX9mm

Youtubeで
「文一総合出版」と検索！

＼ 樹皮はぎ・木登り・水飲み ／

樹皮はぎ行動の場面。主に針葉樹の樹皮を口と手を使ってはぎ取り、その下の形成層をなめたりかじったりする。樹皮はぎ行動自体はクマの自然な行動だが、林業においては深刻な問題となっている。しかし、クマが樹皮はぎ行動を行う理由や目的はわかっていない。

枯れた木を爪で壊し、木の中に営巣しているシロアリなどを探している。シロアリを見つけたら、舌でなめとって食べる。

沢の中で遊んでいる場面。暑い夏の日中などは、涼しい沢の中で過ごす様子も記録され、深い滝つぼなども気にせず泳いでいる。

上を見上げ、木登りを始めようとしている場面。木に登るときは、一気に休むことなく、上まで登りきる。

映像では頭から降りているが、別の映像では後ろ向きに、お尻から降りることも。さまざまな姿勢で木から降りるようだ

＼ 木の上・面白い行動 ／

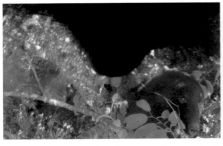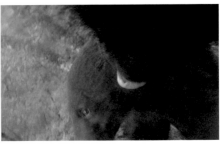

木の上でサクラの果実を食べていたところ、同じ木に別のクマが上がっ
てきた場面。その後、木の上でじゃれあっていた。カメラを装着している
のはメスで、下から登ってきたのはオス。繁殖期のオスがメスを追いか
けてきた場面と考えられる。

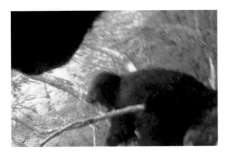

木の上で昼寝をしているクマ。カメラを装着し
ているのはメスで、寝ているのはオス。繁殖期
のオスとメスが一緒にいる最中と考えられる。

サクラの木の上。クマのまわりの折れた枝は、
クマが果実を食べるために、手元にたぐり寄せ
た枝で、これらの枝がクマ棚となる。

日中の休息時には、このように舌を出している
様子がよく見られる。温度調節を行っているの
かもしれない。

繁殖期のメスから見たオス。ふだんは単独で暮
らすクマだが、繁殖期には雌雄2頭が一緒に過
ごす時間が長くなる。

ツキノワグマの背こすり

典型的な背こすり行動。背中を幹にこすりつけ、体を上下させる様子がよく見られる。

背中だけでなく、さまざまな部位を幹にこすりつける。体（首）の正面を幹にこすりつける様子。

首の側面を幹にこすりつける。首だけでなく体の側面を木にこすりつける様子も見られる。

頭を幹にこすりつける。地面に座り込んで、頭頂部や後頭部をこすりつけることもある。

子どもは母親の真似をすることで、背こすり行動を覚えるのかもしれない。

身軽な子どもは母親の隣で、木の高いところに登り、幹に首をこすりつけている。

　クマの仲間では、特定の樹木の幹に体をすりつける行動が知られ、背中をする行動が特徴的なことから、“背こすり行動”とも呼ばれます。背こすり行動の目的はよくわかっていませんが、いろいろな説が存在します。

　たとえば、皮膚の寄生虫をとったり、かゆみ対策といった目的が古くから知られています。さらに、背こすり行動を行う個体は繁殖期のオスに多いことから、繁殖行動に関わる個体同士の何らかのコミュニケーションを目的にしているのではないかという説もあります。

　一方、背こすり行動を行う樹木は、特ににおいの強い樹脂を多く分泌する針葉樹を選ぶ傾向があることから、これらのにおいにクマが誘引されている可能性も指摘されています。

　ツキノワグマでも、近年になって背こすり行動が確認されています。しかし、ツキノワグマがどのような目的で背をこするのかは、まだわかっていません。

※写真はすべて小川羊。ほかにも「奥多摩けもの道 http://oktmkmgr.sakura.ne.jp/」でも見られます。

part.3

ツキノワグマのフィールドサイン

ツキノワグマの足跡、フン、食痕、冬眠穴など、森の中で見つかるツキノワグマの痕跡（＝フィールドサイン）を紹介。

キハダの幹に残された爪痕（後藤優介）

足跡

ぬかるんだ泥の上に残る足跡
（横田博）

ぬかるんだ泥の上に残る
親子の足跡（横田博）

　野外でツキノワグマの足跡を見かける
機会は多くはありません。5本の指と爪、
肉球の形と大きさから、ほかの動物と見
間違えることはないでしょう。

　前足と後ろ足では足跡の形が異なり、
足跡は前後します。また、肉球の大きさ
や幅から、おおよその体の大きさを推定
することができます。さらに、足跡の間
隔から歩いて移動していたのか、走って
移動していたのかなどの情報を得ること
もできます。

落ち葉の上に残る足跡

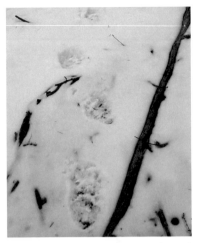

雪の上に残る足跡

林道に残る足跡(後藤優介)

73

フン

姿を見かけることがめったにないツキノワグマにとって、フンは最もツキノワグマに近づくことのできるフィールドサインです。フンは形状からほかの野生動物との区別は容易です。太くて大きく、

ヤマブドウの果実を食べたときのフン

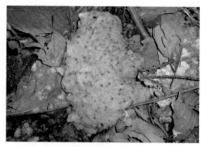

サルナシの果実を食べたときのフン

ウワミズザクラの果実を食べたときのフン（ピッキオ）

シウリザクラの果実を食べたときのフン

ヨウシュウヤマゴボウの果実を食べたときのフン

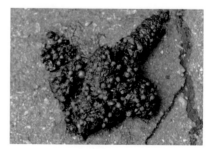

カスミザクラの果実を食べたときのフン

人間の握りこぶしくらいの塊になり、食べたものにより色や形はさまざまです。

液果を食べたときのフンの中には、未消化の種子が目立ち、新鮮なフンの場合、鮮やかな果肉の色が残ります。色や形が

残るのは夏場なら1〜2日ほど。表面がテカテカして湿気が残っていれば、1日以内のもの。秋以降のフンはすぐには形が崩れず、翌年の春まで形が残ることもあります。

ブナの果実を食べたときのフン

クリの果実を食べたときのフン

ミズナラの果実を食べたときのフン。殻ごと果実を食べたときには、フンに殻が含まれる

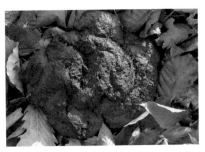

ミズナラの果実を食べたときのフン

ブナ科の果実(不明種)を食べたときのフン。新鮮な状態だと色も鮮やか(ピッキオ)

ヤマグワの果実を食べたときのフン

シカを食べたときのフン（長沼知子）

子どものシカを食べたときのフン。フンの中に
毛や小さい骨などが目立つ（長沼知子）

ヒメザゼンソウを食べたときのフン。草本を食
べたフンも新鮮な状態だと、鮮やかな緑色
（ピッキオ）

クマを食べたときのフン。フンの中に黒い毛が
目立つ（ピッキオ）

イヌブナの新芽を食べたときのフン。時間がた
っているため、色の鮮やかさはない

草本を食べたときのフン。雨で少し形が崩れて
いる

オオウラジロノキの果実を食べたときのフン。
多くの果実が未消化のままフンの中に含まれる
（稲垣亜希乃）

ガンコウランの果実を食べたときのフン
（ピッキオ）

モミジイチゴの果実を食べたときのフン
（ピッキオ）

ブナの花を食べたときのフン（後藤優介）

キハダの果実を食べたときのフン（後藤優介）

スズタケの新芽を食べたときのフン（後藤優介）

食痕
しょっこん

木の内部に作られたニホンミツバチの巣を食べようとして、木を壊した痕跡（後藤優介）

地面の中に作られたクロスズメバチの巣を掘った痕跡。クマは夏から秋にかけて、巣の中の蛹（さなぎ）などを食べる

立ち木の内部の腐朽した部分に営巣したシロアリを食べた痕

人工林の中の古い伐根の中のシロアリの巣をほじった痕跡。朽ち木に営巣する昆虫を採食する際には、朽ち木を爪で大きく破壊することから痕跡は目立つ

フキを食べた痕跡。クマは地面に座り込んで、自分のまわりのフキの茎の根元の部分を食べ、葉の部分は食べずに残す（長沼知子）

草地の岩の下に営巣したアリを食べるために、岩をひっくり返した痕跡

　フィールドでは、さまざまな食痕も目にすることができます。スズメバチやアリを食べた痕跡は、森の中でもよく目立ちます。また、誰でも見つけることができる痕跡に、クマ棚（円座）があります。クマは、果実や新芽を食べるときに木に登り、樹上で枝を折って手元にたぐり寄せて枝先の果実や葉を食べます。その後、その枝が樹上に残り、鳥の巣状になったものをクマ棚といいます。クマ棚は落葉前の時期はその有無が判別しにくいですが、落葉後には容易に見つかります。

小さいトチノキにも登り、芽吹いたばかりの葉を食べる（左）。樹上の葉を見ると、いずれの葉も先端のやわらかい部分だけを食べている（右）

カスミザクラの果実を食べた痕跡。樹上の、枝がかたまって葉の裏が見えている部分がクマ棚。落葉前の時期はクマ棚は目立たない

左写真の木の下には、クマ棚の一部にはならなかった多くの枝が落ちていた。未熟な果実は食べていないことがわかる

果実を見ると、果柄（かへい：へたのこと）は残り、その先に付いていた果実だけをきれいに食べている

食痕

ミズナラの樹上に作られた
クマ棚（長沼知子）

クマ棚ができたミズナラの木の下に行くと、
ミズナラの果実の外果皮（がいかひ：ドング
リの硬い部分）だけがたくさん落ちている

地面に落ちた枝に殻斗（かくと：ドングリ
の帽子の部分）がきれいに残っていること
から、果実を1つ1つていねいに食べてい
ることがわかる

樹上で折った枝はすべてが樹上に残るわ
けではなく、林床に落ちて散乱している場
合もある。人の腕より太い枝も珍しくない
（長沼知子）

落葉後のミズナ
ラのクマ棚。落
葉後は遠くから
も容易に見つけ
ることができる

オニグルミの樹上に作られたクマ棚

木の高いところでクマ棚を作る
(佐藤嘉宏)

食痕

植林地の周囲に張り巡らされた防鹿柵に引っかかったニホンジカをクマが食べた痕跡(栃木香帆子)

大きなオスジカを食べた痕跡。クマはシカなどを食べるときには、一度には食べきれないため、少しずつ食べては、草や土をかけて隠すことがあり、これを土饅頭ともいう(稲垣亜季乃)

シカを食べた痕跡で、すべて食べつくされ、骨しか残っていない(長沼知子)

子どものシカを食べた痕跡。胴体の部分はどこかに運んでいき、まわりには残っていなかった(栃木香帆子)

休息場所

　クマは休息する場合、木の根元などの平らな場所を利用します。ただし、休息場所の周辺にフンや足跡などの新鮮な痕跡がない限り、クマが休息場所として利用していたかどうかを断定するのは困難です。また、休息場所の中には、草本や低木、落ち葉などでベッドを作る場合もあり、「クマ結び」と言われます。

大きな岩のすき間に低木の枝をかき集めてベッドを作った休息場所（長沼知子）

地面に作られた休息場所。まわりの落ち葉や草を集めてベッドが作られている（栃木香帆子）

シャクナゲの枝をいくつも折り曲げてベッドを作った休息場所（長沼知子）

リョウブの立木を折り曲げてベッドを作った休息場所（稲垣亜季乃）

急な崖の中ほどにあるテラスに作られた休息場所。草を集めてベッドが作られている（栃木香帆子）

ウコギの木の上に作られた休息場所。夏には樹上にこのようなベッドを作ることもある（稲垣亜季乃）

樹皮はぎ（クマはぎ）

　クマの樹皮はぎ行動とは、クマが２本足で立ったり、座り込んで歯と爪を使って樹皮をはがし、樹皮の内側の形成層をなめたり、かじりとる行動です。クマの樹皮はぎ行動は古くから知られ、クマにとっては普通の行動であると考えられます。しかし、どのような目的で行うのかはわかっていません。

　樹皮はぎの対象となる樹種は主に針葉樹ですが、広葉樹を含め多様です。中でも、スギやヒノキといった植栽木に対して樹皮はぎが行われると木材価値が低下するため、林業では大きな問題となっています。

ミズナラ

クマは針葉樹だけでなく、広葉樹の樹皮をはぐこともある。ミズナラ以外にもカエデ類やハリギリの樹皮はぎが見られる

スギ

樹皮はぎにあった人工林のスギ。はがした樹皮は、ぶら下がったりし、はがれた状態で木に残っていることが多い

スギ

樹皮はぎが発生したスギの人工林の遠景。葉が茶色の木は、クマに樹皮を全周はがされ、最近枯れた木。葉が薄い茶色の木は、枯れてから時間がたった木

カラマツ

カラマツの樹皮はうろこ状のため、はがされた後の樹皮は、ばらばらになって木のまわりの地面に散らばっている

ダケカンバ

クマによる樹皮はぎの特徴は、樹皮が木に残るとともに、形成層をかじりとった歯型が、規則正しく並ぶことである

天然スギ

高さ10メートルあたりまで樹皮がはがされている。高くまで爪痕も残されていたことから、クマは木に登り、樹皮をはいだと考えられる

モミ

樹皮はぎの対象となる樹木には針葉樹が多い。理由は不明だが、樹皮をはいだ際に出る揮発性物質がクマを誘引しているという説もある

シラビソ

標高の高い場所では、シラビソやウラジロモミなどでも樹皮はぎが見られる。いずれもより太く、成長のいい木が樹皮はぎの対象となる

爪痕が残る樹木図鑑

　クマが木を登り降りするときには、樹幹に爪痕が残ることがあります。一般的に、爪先で形成された痕跡（点々とした痕）は木に登る際の、長細い痕跡はクマが木から降りる際にブレーキとして爪を立てたときに形成された痕跡です。爪痕の様子は各樹種の樹皮の形質により異なり、ブナやホオノキ、トチノキ、ミズキ、サクラ類でははっきりと痕跡が残ることが多い一方、ミズナラやコナラなどでは、爪により樹皮の広い範囲がはがされることで、はっきりした爪痕が残らないこともあります。

樹上で昼寝をする親子（佐藤嘉宏）

※p.87-91の写真はすべて吉澤映之（＊は小池伸介）。ほかにも「紀伊半島ツキノワグマと照葉樹林
http://calmbear.main.jp/calmbears/Welcome_1.html」でも見られます。

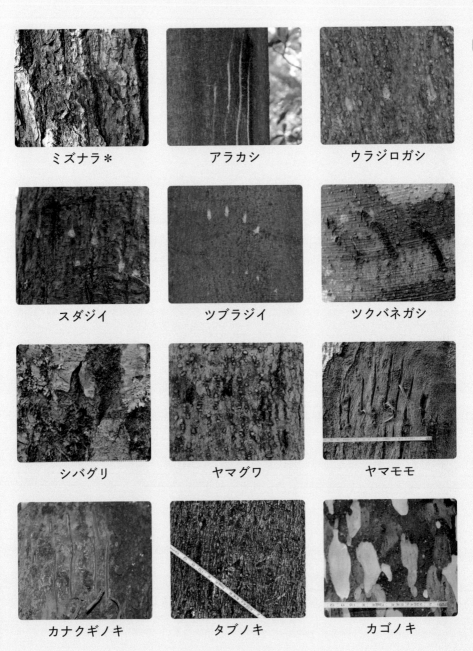

ミズナラ＊

アラカシ

ウラジロガシ

スダジイ

ツブラジイ

ツクバネガシ

シバグリ

ヤマグワ

ヤマモモ

カナクギノキ

タブノキ

カゴノキ

ブナ*

森の主のような胸高直径（人の胸の高さ
における立木の直径）1メートルを超え
る大きなブナ。このブナの幹には無数の
クマの爪痕が刻み込まれている。数百年
にわたるこの木の歴史の中で、秋の果実
が豊作のたびに、また春先の芽吹きの季
節には、これまで多くのクマがこの木を
頼り、木に登ってきたのだろう。今年の
春も芽吹きを求めて、クマがこの木に登
ったことが、新しい爪痕からわかる

樹上でブナの新芽を食べる（澤井俊彦）

爪痕が残る樹木図鑑

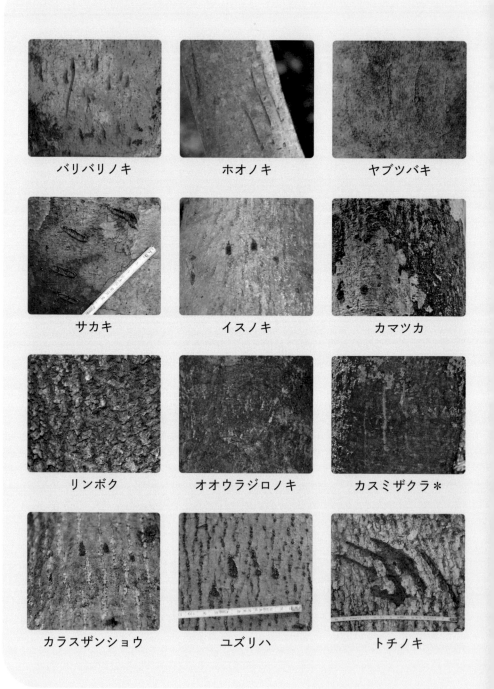

バリバリノキ

ホオノキ

ヤブツバキ

サカキ

イスノキ

カマツカ

リンボク

オオウラジロノキ

カスミザクラ＊

カラスザンショウ

ユズリハ

トチノキ

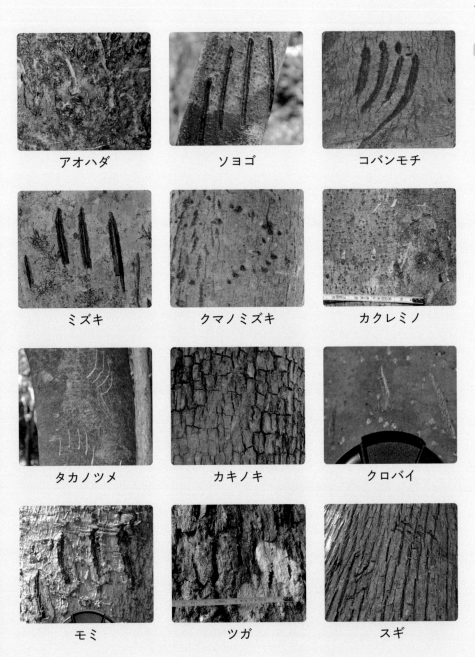

アオハダ

ソヨゴ

コバンモチ

ミズキ

クマノミズキ

カクレミノ

タカノツメ

カキノキ

クロバイ

モミ

ツガ

スギ

冬眠穴
とうみんけつ

　日本に生息するツキノワグマは、冬には冬眠を行います。どのような場所で冬眠をするのかは、各地域の生息環境の違いが大きく反映されます。大きな木が多い地域では、樹洞や根上がり（根と地面との間にできたすき間）を、大きな木が少ない地域では、崩壊地のあるような急峻な谷の中の岩穴や、崩壊地のふちに立つ木の根元から土が流出してできたすき間や岩穴を、冬眠場所として選ぶことが多いようです。冬眠場所には、特にメスは冬眠中に出産・育児を行うことから、冬季の低温から身を守るために閉鎖性の高い環境を選ぶ傾向があります。また、急峻な場所は狩猟者や猟犬の接近が難しいという利点もあります。

● 樹洞

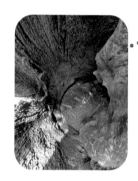

トチノキの枯死木の内部の空間を利用した冬眠穴。穴の底には木片を敷き詰めたベッドがあり、中には発信機に巻いてあった目印のビニールテープの破片も見られる

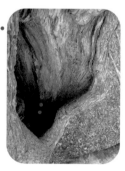

ハルニレの樹洞を利用した冬眠穴。高さ３メートルの位置に入り口があり、地面近くまで樹洞が広がっている。樹洞の内側には無数の爪痕が見られる

※p.92-97の写真はすべてピッキオ

根の下

カラマツ植林地の、倒れかかったカラマツの根の下のすき間を利用した冬眠穴

広葉樹林の大きなミズナラの根の下のすき間を利用した冬眠穴

小さな崩落地のふちに立つ木の根の下にできた空間を利用した冬眠穴

崩落地のふちに立つ木の根元から土が流出してできたすき間を利用した冬眠穴

斜面に向かって倒れかかった樹木の根の下にできた空間を利用した冬眠穴

倒れかかったカンバ類の木の根の下にできた空間を利用した冬眠穴

冬眠穴

岩穴

大きな岩穴を利用した冬眠穴。中はとても広く、落ち葉が分厚く敷き詰められたベッドがある

大きな岩のすき間を利用した冬眠穴。入り口は非常に狭いが、中の空間は広く、落ち葉が分厚く敷き詰められている

大きな岩の下の空間を利用した冬眠穴。冬眠場所にはフンがいくつか残っている。光沢のあるフンは、冬眠を終えた後に、周辺に残っていた前年のブナ科の果実を食べた物で、周辺で採食しては、また冬眠場所に戻って休息するといった行動をとっていたと考えられる。一方、乾燥しているフンは「とめフン」とも呼ばれ、冬眠中に口にした体毛やベッドの材料の落ち葉といった不消化の残渣（ざんさ）からできた密な塊で、肛門の括約筋（かつやくきん）の出口にできる"栓"だ

倒木・切り株の下

倒木の根の下のすき間を利用した冬眠穴

倒れてから、かなり時間のたった木の根の下の部分を利用した冬眠穴

アカマツ植林地の中で、何本もの倒木の下にできたすき間を利用した冬眠穴

古い切り株の根の下のすき間を利用した冬眠穴

道路沿いのコンクリート法面（のりめん）と地面との間にできたすき間を利用した冬眠穴。ここでは出産・育児にも成功し、春には元気な子どもの姿が確認された

冬眠穴とツキノワグマ

冬眠穴での出産を終えて穴から顔を出した母親と、生後3
か月ほどの子ども。冬眠穴で出産した母親と子どもは、最
も遅くに冬眠を終え、5月の辺りが芽吹きをむかえてから、
ようやく穴から出てくる

初めて冬眠穴の外の世界を
見た子どもは、何に対して
も興味があり、少しずつ活
動する範囲を広げていく

この時期は、成獣のオスに
よる子殺しなども警戒しな
くてはいけないため、常に
母親が周囲を警戒している

春をむかえると、クマたちの
冬眠は終わる。一般的には、
若いオスが最も冬眠を終える
のが早く、出産したメスは最
も遅い

徐々に子どもの体力がつ
き、歩き回るようになる
と、母親の後をついて、
冬眠穴の周辺から徐々に
行動範囲を広げる

冬眠中に生まれた子どもたちは、まだ
十分に動けないため、冬眠を終えても
しばらくは、冬眠場所の周辺での行動
と、冬眠場所での休息をくり返す

part.4

ツキノワグマ

コマクサ咲く夏の高山帯。ハイマツの実などを求めて若い個体が登ってきた（澤井俊彦）

がわかる
Q&A

Q1 ツキノワグマは世界のどこにいるの?

現在、世界には8種類のクマの仲間が、主に北半球の約60か国に生息しています。種としての出現が古い順に、パンダ、メガネグマ（アンデスグマ）、ナマケグマ、マレーグマ、アメリカクロクマ、アジアクロクマ（ツキノワグマあるいはヒマラヤグマ）、ヒグマ（グリズリー）、ホッキョクグマです（p.120も参照）。ツキノワグマは、世界的にはアジアクロクマと呼ばれていますが、胸部に大きな三日月形の斑紋があるため、日本や韓国ではツキノワグマと呼ばれます。少し古い分類では、*Selenarctos*（"月"の意味）と何とも美しい属名がつけられていました。

ツキノワグマは、西はイランやパキスタンから、東はロシア沿海州、中国、北朝鮮、韓国まで、大陸に帯状に広く分布します。島嶼部では、台湾、中国の海南島、そして日本の本州と四国にも分布します。現在も生息する国は17か国です。垂直分布でも、海岸線の標高0メートルからインド北部ヒマラヤ山脈の標高4,300メートルまでの広い生息環境を選択しています。これら地域のツキノワグマは、形態や遺伝的な特徴などから、7つの亜種に分類されています。種の外観的には、黒い艶やかな毛並みと胸部の白い斑紋が特徴ですが、カンボジア、タイ、ラオスでは金色の毛並みのツキノワグマも見つかっています。

残念なことに多くのアジアの地域では、数と分布域を急速に減らしていて、IUCN

■現存
■おそらく現存
■絶滅

（国際自然保護連合）のレッドリストでは危急種に指定されています。減少の原因は、開発などによる生息環境（主に森林）の縮小と不連続化ですが、胆のうや体の部位（たとえば熊掌）目当ての過剰な捕獲も大きな要因です。現在、まとまった数のツキノワグマが残っているのは中国、ロシア沿海州、

ツキノワグマのアジアでの分布。
『IUCN レッドリスト』を改変

日本ですが、もっとも安定している国はお
そらく日本です。ただし、その日本でさえ、
九州で1940年代に絶滅し、四国の集団も
絶滅寸前なことを忘れてはいけません
（p.113も参照）。生態系の頂点に立つツキ
ノワグマはもともと数が少なく、人が強度
の捕獲圧をかければ絶滅させることができ

る種と言えます。

　なお、ヨーロッパのウラル山脈、ドイツ、
フランス西部では、鮮新世前期から更新世
後期（約300万年〜1万年前）の時代の化
石骨が出土していますが、それら地域での
絶滅は、気候変動による生息環境の変化が
原因と想像されています。（山﨑晃司）

Q2 ツキノワグマはいつ、どこから来たの?

ツキノワグマは、アジア大陸で進化してきたヒグマとアメリカクロクマの共通祖先から約500万年前に分岐しました。その約50万年後には、東南アジアに生息するマレーグマとインドに生息するナマケグマの共通祖先が、ツキノワグマから分岐していきました。

ツキノワグマは東アジア全域に分布域を広げ、日本には60万年〜40万年ほど前に朝鮮半島を経由して北九州にたどり着きました。泳いできたわけではありません。氷期と呼ばれる地球全体が寒い時期には海水面が下がり、九州は四国・本州と陸続きとなり、さらに朝鮮半島ともつながっていました。ツキノワグマはこうした「陸橋」を歩いて渡ってきたのでしょう。ニホンジカ、イノシシ、ニホンザルなどの現在、日本に生息している大型哺乳類の多くがこの時期に渡来しました。その後も九州が朝鮮半島とつながった時期はあったようですが、ツキノワグマが渡ってきたのはこの最初の1回だけだと考えられています。

一方、大陸ではここ数十万年の間に新たな遺伝タイプのツキノワグマが進化してきて、古いタイプのツキノワグマと置き換わっていきました。しかし、日本は海に隔てられているおかげで新しいタイプに置き換わることがなく、結果的に日本のツキノワグマは世界で最も古い祖先タイプが生き残りました。

さて、北九州にたどり着いたツキノワグマは、陸続きになっていた本州・四国に進出しました。じつはこのころの本州には、

今は北海道にしかいないヒグマも生息していたことがわかっています。ヒグマの抵抗を受けながらも、なんとかツキノワグマは本州最北端の青森県下北半島まで分布域を広げました。しかし、そこで待っていたのは、約8万年前から始まった最終氷期です。本州中部の日本アルプスのように標高の高い地域では、寒すぎるためにツキノワグマは絶滅してしまったでしょう。東北地方もツキノワグマには寒かったはずですが、平野部にかろうじて残った広葉樹の森でエサを探し、厳しい冬は冬眠でやり過ごしていきました。ここにはより寒さに強いヒグマもいたので、小型のツキノワグマは木に登ったりして、ヒグマから逃げていたことでしょう。こうして約6万年間続いた最後の氷期を耐え、今に続く暖かい時代がやってきました。宿敵であるヒグマも本州では絶滅し、東北の大地にも落葉広葉樹林が再び広がっていきました。氷期を生き抜いたツキノワグマの子孫たちは、大好きなドングリが実る豊かな森にその足を進めていきました。（大西尚樹）

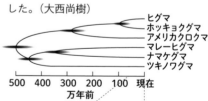

| ヒグマ |
| ホッキョクグマ |
| アメリカクロクマ |
| マレーヒグマ |
| ナマケグマ |
| ツキノワグマ |

500 400 300 200 100 現在
万年前

| このころの氷期に大陸から日本に渡来 | 間氷期に分布域を東北まで拡大 | 氷期には高標高域や東北で分布域が縮小 | 氷期が終わり再度、各地に分布域を拡大ヒグマが絶滅 |

60 50 40 30 20 10 現在
万年前

雨の森を歩いているとき、人間がクマの存在に気づくのは難しい（澤井俊彦）

ロシア沿海州のアムールトラのフンの中
に含まれるツキノワグマの体毛（後藤優介）

　ツキノワグマは世界に生活する8種のク
マ類の中では、中型のサイズです。島嶼で
ある現在の日本には、ツキノワグマより大
きい陸生食肉類はいません。しかし、大陸
に分布する亜種の中には、天敵が存在する
地域に住むものもいます。

　たとえば、日本のお隣のロシア沿海州地
方では、ツキノワグマと同所的に、ヒグマ
（オスは最大で400キログラム以上）やア
ムールトラ（オスは200キログラム以上）
といった、体格に勝る強力な食肉類が生息
しています。しばしば、ツキノワグマはこ
れら大型動物に捕食されてしまいます。特
にトラは冬眠しないため、不用意な場所（た
とえば地面近くの土穴）で冬眠中のツキノ
ワグマを穴から引きずり出して襲うことも
あるそうです。そのため沿海州のツキノワ
グマは、トラの手の届かない高い位置にあ
る樹洞を冬眠穴に選ぶようです。

　日本でも、最終氷期の1万数千年前まで
は本州にトラ、ヒョウ、ヒグマが生活してい
た証拠（化石骨）が残っているので、そ
の当時は襲われないように工夫した生活を
していたかも知れません。（山﨑晃司）

Q3 ツキノワグマに天敵はいるの?

Q4 ツキノワグマはどれくらいの**スピード**で走ることができるの?

　野生のツキノワグマを観察すると、歩きながら食べ物を探す様子をよく目にします。しかし、ときおり小走りや全速力で走る姿を目撃することもあります。ツキノワグマがどの程度の速さで走ることができるのか正確な情報はありませんが、海外では体重200キログラムを超えるヒグマが短距離ならば時速55〜65キロの速さで走ることが知られています。そのため、ツキノワグマも相当な速さを出すことができるのは間違いないようです。

　ツキノワグマが速く走れる秘密は、全身のまとった筋肉によります。特に、肩には十分に発達した筋肉が存在するため、急斜面を登ったり、土を掘ったり、何かをほじろうとするときに、腕の回転能力を上げています。さらに、ツキノワグマは手足に大きな肉球をもつとともに、人間のようにかかとを含む足の裏全体を使って走るため、急な下り斜面でも安定した姿勢で走ることができます。また、垂直に近いような急峻な岩山も容易に登ることができます。

肩まわりの筋肉がとても
よく発達している

Q5

なぜ、ツキノワグマは
人を襲うことが
あるの?

人身被害の発生状況

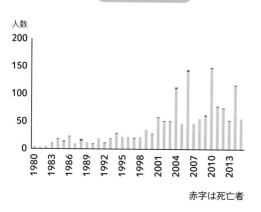

人数
200
150
100
50
0

1980　1983　1986　1989　1992　1995　1998　2001　2004　2007　2010　2013

赤字は死亡者

人身事故の発生者の内訳（地域別）

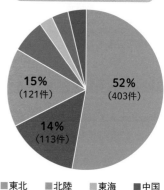

52%
（403件）

15%
（121件）

14%
（113件）

■東北　■北陸　■東海　■中国
■甲信　■関東　■近畿

　多くの人にとって、ツキノワグマは猛獣としてのイメージが強いと思います。しかし、ツキノワグマは基本的にはおとなしく、人間を食べようとして積極的に襲う動物ではありません。さらに、とても臆病な動物なので、森の中では人間がツキノワグマの存在に気づく前に、ツキノワグマのほうが先に人間の存在に気づき、その場を離れることが多いです。そのため、私たちが森の中でツキノワグマの姿を目にすることはほとんどありません。

　ところが、実際には毎年のように何名もの方がツキノワグマとの接触により怪我を負い、中には命を落とす人がいるのも事実です。こういった事故はなぜ起こるのでしょうか?

　ツキノワグマと人間が接触する状況は大きく2つあります。1つは防御を目的とした攻撃です。見通しや風通しの悪い場所で、出会いがしらにツキノワグマと人間とが鉢合わせてしまうと、ツキノワグマもパニックになり、その場から逃げ出そうとして、

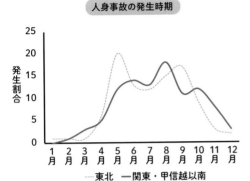

人身事故の発生時期

※図はすべて日本クマネットワーク
（2011）「人身事故情報のとりまと
めに関する報告書」を元に作成

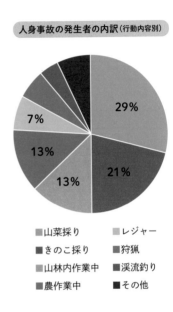

人身事故の発生者の内訳（行動内容別）

- ■山菜採り　■レジャー
- ■きのこ採り　■狩猟
- ■山林内作業中　■渓流釣り
- ■農作業中　■その他

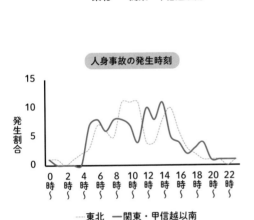

人身事故の発生時刻

　人間をはたいてしまうことで、人間が怪我を負うことがあります。

　また、一部の事故は、母親の防衛本能による攻撃です。通常であれば人間とツキノワグマとの間に十分な距離があったとしても、母子のクマの場合では母親は子どもを守ろうと非常に神経質になっているため、人間を威嚇し、攻撃にいたることがあります。こういった事故はとても強い母親と子どもの結びつきが存在するがゆえに発生するものです。

　もう1つは、ツキノワグマの興味本位の人間への接近から攻撃にいたる場合です。たとえば、若い個体はさまざまなものに興味があり、人間に対する警戒心も低いと考えられます。また、生ごみなどの人間に由来した食べ物の味を覚えてしまった個体は、食べ物への執着が人間への警戒心を上回ることがあります。その結果、これらの個体は過剰に人間との距離が近づくことで、ツキノワグマと人間との接触につながり、人間が怪我を負うことがあります。

アリの巣を掘り起こして食べるツキノワグマ（澤井俊彦）

Q6
ツキノワグマの
放射性物質汚染とは?

　2011年に起こった、福島県の原子力発電所の炉心溶解事故では、大量の放射性物質が大気中に放出されました。その一部は風に乗って遠く運ばれ、降雨によって思わぬ場所にも降下（フォールアウト）しました。栃木県と群馬県にまたがる日光山地の一帯も、残念なことに放射性物質汚染を受けてしまいました。その影響は広範囲に及び、周辺河川や湖の魚類には今でもその影響が残り、持ち帰りが規制されています。

　森林性動物であるツキノワグマも汚染を受けました。事故後に日光山地のある地域で筋肉中の核種（セシウム134、137）の線量を計測してみると、数百ベクレルが検出される個体が存在しました。

　調べてみると、ツキノワグマの主食である果実などの植物質にはあまりセシウムが含まれていませんでした。しかし、この地域のクマは春から夏にかけて、土壌表面に営巣するアリ類を大量に食べるため、汚染された土壌を一緒に体内に取り込んで、体内被ばくを起こしてしまったのです。同じような汚染のメカニズムは、地際で食物を探すイノシシでも知られています。

　今後はこうした低線量被ばくがクマに与える生理的影響を、遺伝子レベルで調べていきたいと考えています。

　（山﨑晃司）

歯の断面図

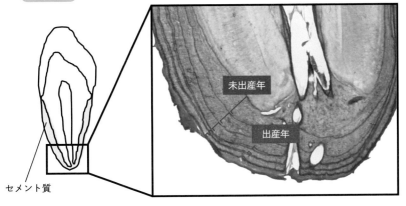

未出産年

出産年

セメント質

ツキノワグマの歯も年齢とともに成長し、木の年輪のように層ができる。そのため、この年輪を数えれば、年齢がわかる。さらに、ツキノワグマは出産し、子育てに成功した年には、母親の栄養状態が授乳などにより低下するため、年輪幅がせまくなる。この個体は9歳で、紫印の部分が未出産年、赤印の部分が出産年を示し、4・6・8歳のときに出産し、育児に成功している。

　ツキノワグマが性成熟に達する年齢には、個体差があるようですが、4歳ぐらいまでには生理的に性成熟することが知られています。しかし、実際に野生で子どもを残すことができる年齢となると、少し事情は違うようです。たとえばオスの場合、メスをめぐる競争など社会構造が強く影響すると考えられます。

　飼育個体の観察では、体の大きなオスのほうが、体の小さな個体よりも交尾の回数が多いです。そのため野外でも、若く、体の小さい個体は、オス同士の競争により繁殖活動に参加するのが難しい可能性があり

ます。オスは性成熟後も体を大きくすることで、オス同士の競争で有利になろうとしているのかもしれません。

　一方、メスは生理的な性成熟とほぼ同時期に体の成長が完了します。しかし、若い個体は子育ての経験も少ないことから、うまく子どもを育てることができない可能性もあります。では、何歳まで繁殖が可能かというと、メスはおよそ20歳代前半までと考えられます。一方、オスの詳細な情報はありませんが、オス同士の熾烈な競争を考えると、実際に野外でオスが子孫を残せる期間は短い可能性があります。

Q7 ツキノワグマはいつごろから大人（性成熟）の仲間入りをするの？

ツキノワグマは数か月から、長い場合は半年以上も冬眠を行います。冬眠中のツキノワグマはいっさいの摂食・飲水、排せつ・排尿を行いません。人間の場合、長期にわたって動かなかったり、飢餓状態であると、筋肉の中のタンパク質が減少して筋肉が衰えてしまうため、歩くのもままならなくなります。

しかしツキノワグマは、冬眠中でも冬眠場所に人間が近づくなど何らかの妨害があると、すばやく飛び出し、雪の中であっても走って逃げることができます。また、冬眠を終えた後も、何事もなかったかのように、すぐに山々を歩き回る生活をはじめる

ことができます。なぜ、冬眠中のツキノワグマの筋肉は衰えないのでしょうか？

ツキノワグマは冬眠中のエネルギーのほとんどを、秋の間に貯めた脂肪から得ますが、脂肪からエネルギーを取り出す過程で、尿素などの代謝物質が作られます。しかし、それらの代謝物質は腎臓と膀胱壁から再吸収され、アンモニアに加水分解されます。さらに、そのアンモニアは肝臓に戻り、タンパク質の元になるアミノ酸を新たに生成するために再利用されます。つまり、ツキノワグマは冬眠中に排尿は行わないのですが、実際には尿は作られ、膀胱で吸収されます。そして、吸収した尿から筋肉のもとになるタンパク質を作り出すため、筋肉の中からタンパク質は減らず、筋肉も弱くならないといった、独自のメカニズムを持っているのです。

Q8 冬眠中に 筋力は落ちないの？

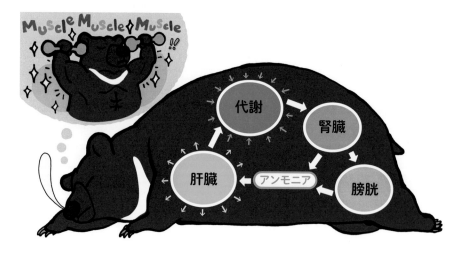

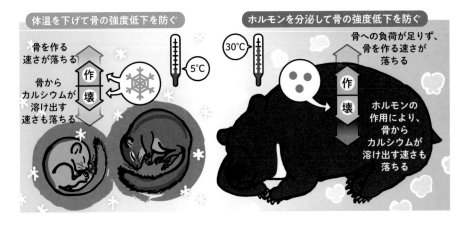

　人間は宇宙空間や寝たきりの状態など、骨への負荷が減ると、骨を作る速さが落ち、骨からカルシウムが溶け出る速さが上回ることで、徐々に骨が弱くなってしまいます。ところが、長い間動かない冬眠中のツキノワグマは、筋肉の場合と同じように骨が弱ることはありません。

　最近、ヒグマやアメリカクロクマの研究から、この人間とは異なるメカニズムの一端がわかってきました。これらのクマをはじめツキノワグマは、体温を5℃以下まで下げて冬眠を行うシマリスやヤマネとは異なり、せいぜい30℃台前半ぐらいにまでしか体温を下げずに冬眠を行います。その代わり、心拍数や呼吸数を少なくして、代謝（エネルギーの消費）を、冬眠以外の時期の4分の1程度まで落とすことが知られています。その過程で、骨の分解・吸収や形成といった代謝も、冬眠中はほぼ停止し

た状態でバランスを保ちます。具体的には、冬眠開始直後から骨からカルシウムが溶け出すことを抑制するホルモンの量を増やすとともに、血中のカルシウムを使って骨芽細胞が骨を作り続けます。そのため、冬眠中も骨からカルシウムが溶け出る速さと、骨のできる速さがほぼ同じで、骨が弱くなることもありません。さらに、冬眠から覚める時期が近づくと、ほかの動物では見られないほどの速さで骨の形成が始まり、骨の中のカルシウムの量は一気に健康な状態に戻ります。

　ちなみに、クマは歳をとっても骨がスカスカになることはありません。まだまだ、クマの骨形成には多くの謎が残されていますが、骨に力をかけなくても成長させるメカニズムが明らかになれば、人間が日常的に宇宙に出かけるようになっても、骨が弱くならないようにできるかもしれません。

Q9 冬眠中に骨粗鬆症にならないの？

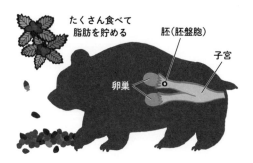

たくさん食べて
脂肪を貯める

胚（胚盤胞）

子宮

卵巣

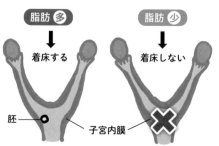

脂肪多
↓
着床する

脂肪少
↓
着床しない

胚

子宮内膜

Q10

ちゃくしょう　ち　えん
着床遅延って
なんのこと?

　ツキノワグマの交尾は5〜7月に行われ、1月下旬から2月上旬の冬眠中に子どもが生まれます。そのため、ツキノワグマの妊娠期間は6〜7か月と思われますが、実際の妊娠期間は約60日です。この理由は、ツキノワグマは交尾とともに受精が行われ、胚は胚盤胞まで発達しますが、その段階でほぼ発達を停止する、いわゆる着床遅延（胚の発育停止）がおこります。そして、11月下旬から12月上旬に冬眠の準備を始めるころになると、ようやく着床し、妊娠を開始するためです。

　なぜ、ツキノワグマは着床遅延を行うのか、いくつかの説が考えられますが、いずれも冬眠が大きく関係しているようです。冬眠中のツキノワグマのエネルギー源は、秋に貯めておいた脂肪です。しかし、冬眠を開始するまでに十分な量の脂肪を体内に貯めることができなかった場合、うまく授乳などが行えず、せっかく生まれてきた子どもの命を失うだけでなく、母親自身も命の危険にさらされることになります。そのような母子共倒れを防ぐためにも、冬眠を開始するまでに十分な脂肪を貯めることができた場合にだけ、妊娠がスタートするようになったのではないかと言われています。ただし、実際には何がきっかけとなって妊娠がスタートするのかは、まだよくわかっていません。

　また、なぜクマは交尾を秋に行って、すぐに受精卵を着床させないのでしょう？　おそらく、秋は冬眠に向けてドングリをいっぱい食べて、脂肪を十分に貯めなくてはなりません。そのため、時間がかかり、しかも体力を消耗する（特にオスにとって）交尾を行っている余裕はないのでしょう。

　さらに、なぜクマは十分な妊娠期間を経て胎児を発育させ、春に出産しないのでしょうか？　春は冬眠中に低下した体温は戻るものの、まだ活発な状態ではありません。そのため、この時期に体力を消費して、長い妊娠期間を経て大きく育った子どもを産むのは都合が悪いのでしょう。そう考えると、繁殖活動を行うことができるのは、春と秋の間の限られた夏だけということになります。

Q11 四国のツキノワグマは絶滅の危機にある?

　近年、全国で分布域が拡大しているツキノワグマですが、唯一例外の場所があります。それは四国です。四国のツキノワグマの生息数は、近年の調査では16〜24頭程度と推定され、20年後の絶滅確率が最も高い場合では62%と試算されており、絶滅の危険性が極めて高い危機的な状況です。

　かつて、ツキノワグマは四国に広く分布していたと考えられていますが、1940年ごろには四国東部と四国西部の個体群に分断していたようです。1980年ごろまでは四国西部においても生息が確認されていましたが、1985年を最後に四国西部での確実な生息記録は途絶え、1990年代以降は、四国東部の剣山地周辺地域でのみ生息が確認されています。このような状況になった原因としては、四国では古くから林業が盛んであったため、奥山までスギやヒノキな

どの人工林が広がるとともに、林業被害をもたらす害獣として、1960〜70年代には多くのツキノワグマが報奨金をつけてまでも捕獲されたことが影響しています。

　現在、四国のツキノワグマは標高900〜1,500メートルのブナやミズナラが生育する広葉樹林を中心に生活しています。また、継続した調査から、数年に1度は子どもが誕生していることも確認されています。

　一方、1987年以降に狩猟や駆除は行われていませんが、この30年間で個体数の増加傾向は確認されていません。また、剣山地周辺の非常に限られた地域から大きく移動することもほとんどありません。どのような原因で四国のツキノワグマの生息数が増えず、生息範囲を広げないのかはよくわかっていませんが、四国のツキノワグマは待ったなしの状態をむかえています。

四国のクマの現状

1972年
愛媛県中山町
景浦で雄捕獲

③

⑤

▲剣山

現在の恒常的生息域

②

1985年
高知県葉山村で
雌捕獲

④

ツキノワグマは、かつては高知県、徳島県、愛媛県に生息していたが(①〜⑤)、現在では⑤の剣山周辺のみでしか生息が確認されていない。

①

1940年の四国でのツキノワグマの生息状況
(岡藤蔵(1940)を改変。資料提供:NPO法人四国自然史科学研究センター)

Q12

日本には
ツキノワグマは
何頭いるの?

これまで、聞き取り調査や、実際にツキノワグマを捕獲することで個体識別を行う、あるいは遺伝情報や胸の斑紋の形状を用いて個体識別を行うことによる標識再捕獲法によって、生息数を推定しようとする試みが各地で行われてきました。その結果、1960年代には9,566頭、1980年代には8,400 〜 12,600頭、2007 年 に は 約16,000頭のツキノワグマが、日本には生息するといった報告がされてきました。しかし、これらの値には大きな誤差が存在する可能性が指摘されており、実際に現在何頭のツキノワグマが日本に生息しているのかはわかっていません。その理由は、ツキノワグマの生息数を数える、科学的な手法が確立していないためです。

野生動物の生息数を数えるにはさまざまな方法があり、直接観察することができるニホンジカでは以下のような方法がよく用いられます。

・区画法:山の中を一定の区画に区切り、それらの中を同時に調査者が歩き、発見したシカの数・位置、逃走した方向を記録します。そして、各区画の記録を照合し、重複個体を除くことで調査区のシカの密度を推定します。

・糞粒法:調査区域内に一定の踏査コースを設け、発見したシカの糞粒数を一定の数式(シカ1頭の単位時間あたりの排糞数やフンの消失率など)にあてはめることで、調査区のシカの密度を推定します。

一方、ツキノワグマは深い森の中で生活し、葉が落ちる冬には冬眠するため、直接観察することで、生息数を算出することがほぼできません。さらに、比較的低密度で生息していると考えられ、山を歩いてもフンなどの痕跡を見つける機会も少なく、自動撮影での撮影頻度も高くないため、間接的に生息数を推定することも困難です。そのため、ほかの野生動物の生息数を推定するために用いられる方法を応用することが難しいのです。

首に電波発信器、耳には個体識別タグが取り付けられたツキノワグマ(澤井俊彦)

ケガや
病気

飢え

　ツキノワグマの寿命は、動物園などの飼育下では30年を超える記録があり、なかでも京都市動物園で飼育されていたメスのツキノワグマが39歳まで生存していたのが、最も長生きした記録と考えられます。そのため、ツキノワグマの生物学的な寿命は35歳前後ではないかと考えられます。

　一方、野生ではさまざまな病気も存在す

るとともに、個体同士の喧嘩でケガをすることも多いと考えられます。また、食べ物も安定して得られるわけではないため、多くの個体は20歳代半ばまで生きることはまれであると考えられます。これまでの事例でも、野生のツキノワグマが30歳まで生存していた記録は数えるほどしかありません。

Q13 ツキノワグマは何歳まで生きるの?

大型哺乳類であるツキノワグマの研究は、クマにかけてしまう負担のことを考えれば、プロジェクトを組んで研究成果の公表を幅広く迅速に行うことがその責務です。

　最近、スカンジナビアのヒグマ研究チームと共同で、ツキノワグマの生理研究を進めています。その一環で、小指大の心拍・体温計を学術捕獲したツキノワグマの皮下に埋め込んでいます。まだサンプル数があまり多くはないのですが、スカンジナビアのヒグマとツキノワグマの心拍データを比較した結果はとても興味深いものでした。

　季節による心拍数の挙動が、ヒグマでは1分間に60〜70回を保って比較的穏やかであったことに対して、ツキノワグマでは晩夏に1分間に60回ほどにぐっと落ち込む一方で、秋季には1分間に130回以上と急激に上昇するという相違がありました。ツキノワグマの心拍の挙動は、夏の食物の欠乏、そして秋の堅果結実に伴う飽食期の開始という利用可能食物の変化に伴うイベントとして説明できますが、それにしても振れ幅の大きさには驚くほかありません。今後は、サンプル数を増やして、異なる齢や性での比較が待たれます。

（山﨑晃司）

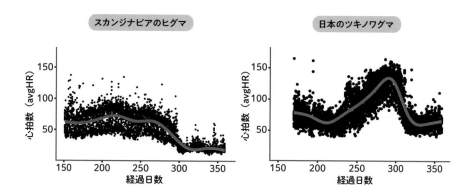

日本のツキノワグマとスカンジナビアのヒグマの一般化加法モデルによる心拍数の季節変化（青い線）の1例。横軸は1年を365日とした経過日数を示している。

Q14 ツキノワグマの 心拍数の季節変化とは？

Q15 ツキノワグマは どれくらい食べるの？

　野生のツキノワグマが食べる量は、季節によって大きく変化します。春は、1日あたり2,000キロカロリーほどと、人間と同じ程度の食べ物を食べているようですが、6〜8月にかけては1日あたり500キロカロリーほどと食べる量が減ります。春から夏にかけての食べ物は、森の中に散らばって存在しているアリやキイチゴなどのため、効率的に栄養を摂取できないためと考えられます。

　しかし、秋になると冬眠に備えて摂取する食べ物の量は増え、10月には1日あたり5,000キロカロリーを超え、ミズナラのド

ングリに換算すると3,000〜4,000粒に相当します。秋は木に登ってまとまって結実したドングリを主に食べることから、効率的に栄養を摂取できるためです。

　食べることで得られる摂取エネルギーと、身体を動かすことで使われる消費エネルギーの差し引きであるエネルギー収支をみると、6〜8月はマイナス状態が続きます。その代わり、秋のドングリで1年間に摂取するエネルギーの約80％を取っています。つまり、ツキノワグマは秋の3か月間で食いだめし、1年分のエネルギーを摂取しているのです。

ツキノワグマのメスのエネルギー摂取量（左）とエネルギー収支（右）の季節変化

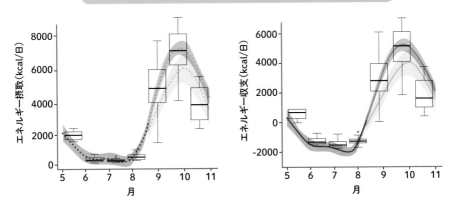

灰色の線は春から夏にかけて、オレンジ色と緑色の線は秋の平均値。オレンジ色の線は、ブナ科堅果（ドングリ）の豊作年、緑色の線は凶作年を、影の部分は95％の信頼区間を示す。エネルギー収支は春から夏にかけて低下し、夏にはマイナスになり、秋には大きくプラスになることがわかる。また、ドングリが凶作の年には、豊作の年に比べてエネルギー収支が低下することがわかる。

ツキノワグマの
死因は?

　森の中でツキノワグマの死体を見かけることはほとんどありません。そのため、野生のツキノワグマの死因はまったくわかっていません。ただし、スウェーデンのヒグマでは、生後1年間を生き延びれば、その後に死亡するケースは少ないことが指摘されています。さらに、生後1年間における子どもの死亡の85％が繁殖期に発生し、主な死因が子殺しであることが知られています。子殺しとは、オスが繁殖活動を行うための行動で、メスの発情を促すために、オスがメスの子どもを故意に殺すことです。その過程でオスが子どもを食べてしまうことすらあります。つまり、子どもにとってオスは最大の天敵となります。そのため、生まれたばかりの子どもを連れた母親は、冬眠を終えた後は常にオスの存在に気を配りながら子育てを行わなければなりません。

　ツキノワグマでは、堅果類が凶作年の秋に、ツキノワグマの休み場から捕食されたツキノワグマの死体が発見されたり、フンの中からツキノワグマの体毛が大量に見つかる事例が報告されていることから、堅果類の凶作年の秋には、ツキノワグマ同士の共食いが発生しているのかもしれません。また別の地域では、冬眠中のメスがオスに襲われて死亡するといった事例も知られています。さらに、顔に大きな腫瘍を患った個体も確認されていることから、何らかの病気で死亡するものも少なからず存在すると考えられます。ただ、ロシアのアムールトラ（p.104参照）のようにツキノワグマの捕食者がいない日本では、ツキノワグマのいちばんの死因は、毎年数千頭にも及ぶ狩猟以外の捕殺、つまり人間による有害駆除と思われます。

何らかの理由で亡くなった、その年生まれの子ども（ピッキオ）

鋭い爪をもつ
ツキノワグマ
（澤井俊彦）

Q17 ツキノワグマの 祖先とは?

クマ類の祖先は、今から約2,000万年前に姿を現した、ウルサブス（Ursavus）と呼ばれる小型の食肉類です。この動物は当時、地上部にたくさん生活していたほかの食肉類との競合を避けて、樹上に登る能力と、樹上で豊富に見つけることができる植物質の食べ物を利用することを選択しました。その後、このクマ類の祖先から、ひとつの流れがアライグマやレッサーパンダの仲間になり、もうひとつの流れがクマの仲間へと進化していきます。

ツキノワグマは、祖先からの進化の流れの中で、数百万年前に登場した種です。ヒグマのようなあまり木登りが得意ではない種や、ホッキョクグマのように再び肉食に戻った種が出現する一方で、ツキノワグマは樹上生活と植物質食という、祖先の形質を今も残している種といえます。短くスパイク状の鋭い爪は木登りを助け、平たい形状の臼歯の歯冠は、植物質を砕くことに役立ちます。日本へは、大陸と日本が地続きとなった、50万年以上前に渡来したと考えられています（p.102参照）。

（山﨑晃司）

119

Q18 世界にはほかに どんなクマがいるの?

世界には8種類のクマが生息しています。
このうち、アメリカクロクマを除く7種は、
いずれも生息地の消失や密猟などにより、
厳しい状況におかれています。

■パンダ

野生の生息数は2,000頭ほどです
が、それぞれの生息場所が離れ、
分布が孤立しています。

■アンデスグマ

メガネグマとも言われます。メガ
ネをかけたように見える顔の模様
が特徴です。

■ナマケグマ

もさもさした体毛が特徴で、主食
のアリを食べやすいように前歯の
一部が退化しています。

■マレーグマ

クマの仲間の中では最も体が小さ
く、東南アジアの熱帯の森林に生
息しています。

■ **ホッキョクグマ**

1年の大半を北極海の氷の上で過ごします。温暖化の影響で絶滅が心配されています。

■ **ヒグマ**

北海道にも生息するクマで、森林から砂漠まで、さまざまな環境に生息しています。

■ **アメリカクロクマ**

最も生息数の多いクマで、北アメリカに広く分布します。外見はツキノワグマに似ています。

■ **アジアクロクマ**
（ツキノワグマ）

アジアの広い範囲の森林に生息していますが、詳しい生息状況はよくわかっていません。

用語の解説

亜種【あしゅ】 生物の分類上の1つの階級で、「種」の下の階級。同じ種類の動物でも、生息する地域の気候や植生、それらに伴う食べ物の違いなどによって、体の大きさや毛の長さなどが異なることがあり、それらの身体や習性の特徴に違いによって「種」を細かく分けたものが、「亜種」と呼ばれる分類となる。

アルビノ 遺伝子の突然変異などにより、色素がまったくない、あるいは極めて少ないため、皮膚の色や瞳の色、毛の色が白色になることを、「アルビノ」という。これとは別に白変種（リューシズム）と呼ばれる色素の減少によって、毛や羽、皮膚などが白色になる動物も存在するが、アルビノの動物は瞳孔が赤く透けているのに対し、白変種の動物の瞳孔は黒いため、見分けることができる。

液果【えきか】 果実の分類の1つで、種子（タネ）の周りに付着する組織（果皮という）の一部に、多くの水分（果汁）を含んだ組織を持つ形態の果実のことを示す。多肉果ともいう。液果のほかには、乾果がある。

加水分解【かすいぶんかい】 水の働きによって、ある物質が別の物質に変化（分解）する現象のこと。

換毛【かんもう】 毛が生え換わることで、一般に野生動物では毎年、特定の時期に全身の毛の更新が行われ、短時間内に毛が生え換わる。たとえば、寒冷地ではシカやウサギが色や長さ、密度の異なる夏毛と冬毛をもち、年に2回、それぞれに換毛する。

形成層【けいせいそう】 双子葉植物や裸子植物などの樹皮や茎の表皮のすぐ内側にある組織のこと。樹木では樹皮の内側が形成層で、この部分には根から吸い上げた水分や養分が通る道管と、葉で作られた栄養分が全身に運ばれるための師管がたくさん集まっている。これらの部分だけが毎年成長することで、樹木の幹は太くなる。

骨芽細胞【こつがさいぼう】 骨は常に「骨形成」と「骨吸収」をくり返すことで再構築を続け、常に新しい状態を維持している。そのうち、「骨形成」を担うのが骨芽細胞（骨を作る細胞）で、「骨吸収」を担うのが破骨細胞（骨を壊す細胞）。

社会性昆虫【しゃかいせいこんちゅう】 ミツバチやアリ、シロアリのように、同じ種の多数の個体が集まり、その中に女王と働きハチ（アリ）といった、個体ごとに働きや役割の異なる階層がある生活を営む昆虫のことを示す。これらの昆虫は、個別に生き続けることは難しく、それぞれの個体の協力によって集団全体の生活を維持する。

食肉類【しょくにくるい】 哺乳類のうちの1つのグループを示す。特徴としては、門歯（前歯）、臼歯（奥歯）などがよく発達し、特に犬歯は大きくて鋭いことが多い。顎の筋肉も強く、食べ物を咬むのに適している。陸生の食肉類では、食べ物を探知するための耳、眼、嗅覚などがすぐれている。ネコ科、イヌ科、アザラシ科が代表的な食肉類。

性的二形【せいてきにけい】 オスとメスとの間で生殖器以外の体の色や形、行動などが大きく異なったり、有無に違いがあること。人間だと、声変わりの有無、平均身長の差などもこれにあたる。「性的二型」とも言う。

属名【ぞくめい】 ある生物の種類の名前には、和名と呼ばれる日本語での名前のほかに、学名と呼ばれ、生物学の手続きに基づき、世界共通で生物種などに付けられる名前がある。学名は、属名（ツキノワグマの場合は *Ursus*）+種小名（ツキノワグマの場合は *thibetanus*）

の2つからなり、属名は学名の前半の部分を示す。種小名とともに、ラテン語で表される。

昼行性【ちゅうこうせい】　主に昼間に行動し、夜間は休む動物の性質のことを示す。昼行性ではない動物は、夜間に行動する夜行性、もしくは明け方や薄暮に行動する薄明薄暮性に分けられるが、これらの分類は絶対的なものではなく、季節や環境条件によって行動する時間帯を変える動物もいる。

動体視力【どうたいしりょく】　動いている対象物を視線にとらえておく能力で、目の前を動く物体の動きを、視線を外さずに追い続けられる視力とも言える。

発情【はつじょう】　動物が交尾可能な状態であることを示す。多くの野生動物では1年の一定の時期（繁殖期ともいう）に限り見られる状態。雌雄それぞれ雌性ホルモン、雄性ホルモンによって引き起されると言われる。雌では発情中または発情が終ったのちに、排卵が行われる。野生動物の中には、交尾の有無にかかわらず排卵が行われる種類と、交尾による機械的刺激によってホルモンが分泌され、排卵が行われる種類とがあり、ツキノワグマは後者と考えられている。

標識再捕獲法【ひょうしきさいほかくほう】　ある地域に生息する生物の個体数を推定する方法の1つ。具体的には、ある場所で、対象とする種の適当な数の個体（①）を捕獲し、何らかの方法で標識をつけていったん元の場所に戻す。その後、何日か経った後に、同じ条件で再び対象種の捕獲を行う。2回目の捕獲を行った個体の中で、1回目につけた標識のついた個体（②）と、標識がついていない個体とに分けた場合、以下の式を用いることで、ある地域に生息する対象種の個体数を推定することができる。

全体の個体数＝①の個体数×2回目で捕獲した対象種の個体数÷②の個体数

幼期分散【ようきぶんさん】　新しく生まれた動物が出生地から、（最初の）定住地まで移動する行動のことを示す。一般的にこの行動は一方向の移動であり、「渡り」や「食べ物を探索するための短距離の移動」とは異なる。多くの野生動物では、雌雄で異なる分散行動を示し、特に哺乳類の多くでは、雄は出生地から遠くに分散し、雌は出生地付近にとどまる傾向がある。

豊作年と凶作年【ほうさくねんときょうさくねん】　多くの樹木で種子の生産量が大きく年変動する豊凶現象（結実豊凶ともいう）が知られているが、その中には樹木の個体間で豊凶現象が同調する樹種がある。そういった樹種の果実の実りの程度のうち、種子が平年よりも多く実る年のことを豊作年、反対の状況の年を凶作年と言う。

飽食期【ほうしょくき】　ツキノワグマでは、冬眠に備えて脂肪を蓄える秋のことを示し、多くの食べ物を食べるようになる。さらに、生理状態や内臓での食べ物の消化・吸収にかかわる状態も変化することで、食べ物から得た栄養を脂肪として蓄積するようになる。「過食期」とも言う。

優占種【ゆうせんしゅ】　生物群集や植物群落内で、特に量が多く、その群集の特徴を代表する生物種のことを示す。植生（植物）においては、ある地域において最も多くの面積を占める植物の種類のことを示す。たとえば、多くの森林は多数の種類の樹木が生育しているが、その現存量で見ると、ごく一部の種が大部分の現存量を占め、残りの大多数の種が残りわずかな現存量を占めていることが多い。このような場合、大部分の現存量を占める樹種のことを、森林の樹木の優占種と言う。

クマ（特にツキノワグマ）のことを
知りたい人のための参考文献リスト

入門編

幼児向け

○前田まゆみ（2018）『くまのこボーロ』（主婦の友社）

小学生向け

○小池伸介監修（2016）『クマ大図鑑　体のひみつから人とのかかわりまで』（PHP研究所）

○ケイティ・ヴィガーズ（2019）『くまくらべ　世界のくまをくらべてみよう！』（東京書店）

中学生向け

○小池伸介（2017）『わたしのクマ研究』（さ・え・ら書房）

高校生向け

○小池伸介（2013）『クマが樹に登ると―クマからはじまる森のつながり』（東海大学出版会）

大学生向け

○宮尾嶽雄編著（1989）『ツキノワグマ　追われる森の住人』（信濃毎日新聞社）

○岐阜県哺乳動物調査研究会（1993）『ツキノワグマ』（岐阜新聞社）

○大井徹（2009）『ツキノワグマ―クマと森の生態学』（東海大学出版会）

○増田隆一編著（2018）『日本の食肉目』（東京大学出版会）

○小池伸介・山浦悠一・滝久智編著（2019）『森林と野生動物』（共立出版）

社会人向け

○米田一彦（1991）『クマを追う』（どうぶつ社）

○米田一彦（2011）『山でクマに会う方法』（ヤマケイ文庫）

○山﨑晃司（2017）『ツキノワグマ　すぐそこにいる野生動物』（東京大学出版会）

○山﨑晃司（2019）『ムーンベアーも月を見ている―クマを知る、クマから学ぶ　現代クマ学最前線』（フライの雑誌社）

○齋藤慈子・平岩界・久世濃子編著（2019）『正解は一つじゃない　子育てする動物たち』（東京大学出版会）

応用編

○ブロムレイ（1987）『ヒグマとツキノワグマ』（思索社）

○川道武男・近藤宣昭・森田哲夫編著（2000）『冬眠する哺乳類』（東京大学出版会）

○ヘレロ（2000）『ベア・アタックス─クマはなぜ人を襲うか（1）（2）』（北海道大学出版会）

○日本クマネットワーク（2007）『アジアのクマたち─その現状と未来─』（日本クマネットワーク）

○赤羽正春（2008）『熊（ものと人間の文化史）』（法政大学出版局）

○ベルント・ブルンナー（2010）『熊　人類との「共存」の歴史』（白水社）

○坪田敏男・山﨑晃司（2011）『日本のクマ』（東京大学出版会）

○日本クマネットワーク（2011）『人身事故情報のとりまとめに関する報告書』（日本クマネットワーク）

○日本クマネットワーク（2014）『ツキノワグマおよびヒグマの分布域拡縮の現況把握と軋轢抑止 および危機個体群回復のための支援事業報告書』（日本クマネットワーク）

○ミシェル・パストゥロー（2014）『熊の歴史』（筑摩書房）

※日本クマネットワークの書籍はこちらからダウンロードできます。
　http://www.japanbear.org/report/

海外編

○Ian Stirling編著（1993）『Bears: Majestic Creatures of the Wild』（Rodale Pr）

○John Craigheadほか（1995）『The Grizzly Bears of Yellowstone: Their Ecology In The Yellowstone Ecosystem』（Island Press）

○Powell Rogerほか（1997）『Ecology and Behaviour of North American Black Bears: Home Ranges, Habitat and Social Organization』（Chapman & Hall）

○Dave Taylor（2006）『Black Bear ─ A Nature History』（Fitzhenry & Whiteside）

○アンドリュー・E・デロシェール（2014）『ホッキョクグマ　生態と行動の完全ガイド』（東京大学出版会）

○Bieder Robert（2005）『Bear』（Reaktion Books）

あとがき

　これまで写真を中心にした野生の
ツキノワグマに迫った書籍はほとん
ど存在しなかった。それは、ツキノ
ワグマは深い森で単独で暮らしてい
るため、ほかの動物に比べると野外
で観察する機会が少ないからだと、
少なくとも研究者の私は思ってい
た。しかし、最近は日本各地で撮影
されたすばらしいツキノワグマの写
真を見る機会が増えてきた。研究者
の私には、なぜ最近になり、野生の
ツキノワグマを撮影できるように
なったのかは、詳しくはわからない。
ただ、なんとなくではあるがツキノ
ワグマと人間との距離が、徐々に近
づいてきているように感じている。

　多くの人に、できる限り野生のツ
キノワグマの姿を理解して欲しいと
いう思いから、本書では野外でのツ
キノワグマの姿とともに、さまざま
なフィールドサインや最新の知見に
よる解説を組み合わせるといった、
これまでにない形の書籍を目指し
た。そのため、人間とかかわるツキ
ノワグマの姿には、なるべく触れな
いようにした。おかげで、日ごとに
色相を変える森の中で、ツキノワグ
マは変わらず悠々と暮らしている様
子を伝えることができたのではない
だろうか。

　本書を通じて、あらためて日本の
森にはツキノワグマがよく映えるこ
とに気づくとともに、なくてはなら
ない存在であることを強く心に感じ
ることができた。

小池伸介

126

餌場を求め、残雪の斜面を横切っていく親子（澤井俊彦）

著者 小池伸介
こいけしんすけ

1979年、名古屋市生まれ。博士（農学）。現在、東京農工大学大学院教授。専門は生態学、主な研究対象は、森林生態系における植物—動物間の生物間相互作用、ツキノワグマの生物学など。現在は、東京都奥多摩、栃木県、群馬県の足尾・日光山地においてツキノワグマの生態や森林での生き物同士の関係を研究している。著書に『クマが樹に登ると』（東海大学出版部）、『わたしのクマ研究』（さ・え・ら書房）など。

写真 澤井俊彦
さわいとしひこ

東京都生まれ。1980年から北アルプス地域でコダクロームフィルムによる撮影を始め、現在は『季の肖像』『森の肖像』『山の肖像』の3つを柱にして日本の山を撮る。2016年、第5回田淵行男賞受賞。

解説協力

山﨑晃司（p.62-63、p.100-101、p.104、p.108、p.116、p.119）

大西尚樹（p.102-103）

写真協力

稲垣亜希乃、小川羊、小坂井千夏、後藤優介、佐藤嘉宏、四国自然史科学研究センター、高山楓、竹腰直紀、田中美衣、玉谷宏夫、手塚詩織、栃木香帆子、長沼知子、中村利和、羽尾伸一、ピッキオ、横田 博、ミュージアムパーク茨城県自然博物館、山田孝樹、吉澤映之

イラスト：ウチダヒロコ

デザイン：SPAIS（熊谷昭典、吉野博之）

森と生きる。

ツキノワグマのすべて

2020年4月24日　初版第1刷発行
2021年4月20日　初版第2刷発行

発行者　斉藤 博
発行所　株式会社　文一総合出版
　　　　〒162-0812　東京都新宿区西五軒町2-5　川上ビル
　　　　tel. 03-3235-7341（営業）　03-3235-7342（編集）
　　　　fax. 03-3269-1402
　　　　URL：https://www.bun-ichi.co.jp
振替　　00120-5-42149
印刷　　奥村印刷株式会社

乱丁・落丁本はお取り替え致します。
©2020 Shinsuke Koike & Toshihiko Sawai
ISBN978-4-8299-7232-8
NDC489（148×210mm）　128PP